A ESTRATÉGIA DO OLHO DE TIGRE

CARO LEITOR,
Queremos saber sua opinião sobre nossos livros.
Após sua leitura, acesse nosso *site* (www.editoragente.com.br),
cadastre-se e contribua com sugestões, críticas ou elogios.
Boa leitura!

Renato Grinberg

A Estratégia do OLHO DE TIGRE

Atitudes poderosas para o sucesso na carreira e nos negócios

Gerente Editorial
Alessandra J. Gelman Ruiz

Editora de Produção Editorial
Rosângela de Araujo Pinheiro Barbosa

Controle de Produção
Elaine Cristina Ferreira de Lima

Preparação de Texto
Bete Abreu

Projeto Gráfico
Neide Siqueira

Editoração
Join Bureau

Revisão
Malvina Tomáz

Capa
Julio Moreira

Imagem de capa
iStockphotos

Copyright © 2011 by Renato Grinberg
Todos os direitos desta edição são
reservados à Editora Gente.
Rua Pedro Soares de Almeida, 114
São Paulo, sp – cep 05029-030
Telefone: (11) 3670-2500
Site: http://www.editoragente.com.br
E-mail: gente@editoragente.com.br

Dados Internacionais de Catalogação na Publicação (CIP)
(Câmara Brasileira do Livro, SP, Brasil)

Grinberg, Renato
    A estratégia do olho de tigre: atitudes poderosas para o
sucesso na carreira e nos negócios / Renato Grinberg. – São
Paulo : Editora Gente, 2011.

    Bibliografia.
    ISBN 978-85-7312-759-1

    1. Carreira profissional – Desenvolvimento 2. Competência
3. Educação profissional – Brasil 4. Marketing 5. Qualificação
profissional – Administração 6. Sucesso profissional 7. Sucesso em
negócios I. Título.

11-09341   CDD-658.4093

Índices para catálogo sistemático:

1. Carreira : Sucesso profissional : Administração   658.4093

Dedico este livro aos meus pais, Roberto e Ira Grinberg, e às mulheres da minha vida: Dani, Isabela e Mariana.

Agradeço a todos aqueles que de uma maneira ou de outra me ajudaram a desenvolver e cultivar o *Olho de Tigre*.

Agradecimentos especiais a:

Lourença Barbosa, Ricardo Grinberg, Elijass Gliksmanis, Elisabete Bernardo, Sidney Bernardo, Joel Ferreira, Juan Pablo Swett, Felipe Hurtado, Javier Sagivela, Flávia Ferreira, Gabriela Nascimento, Rosely Boschini, Alessandra Gelman Ruiz, Beto Melo, Christian Barbosa, João Dória Jr., Sofia Esteves, Robert Wong, Ana Maria Braga, Patrícia Casseano, André Tito, Amanda Oliveira, Ana Maria Novaes, Maíra Habimorad, Cleyton Oliveira, Giovanni Peduto, Cadu Altona, Márcio Pires, Sidney Saad, Rafael Davini, Yossi Rabinovitz, Mirit Rabinovitz, Gary Mcbride, Jim Ploen, Mike Burkenbine, Joe Reid, Adrian Alperovich, Warren Lieberfarb, Nancy Harris, Carlos Sanchez, Joseph Chou, Hersin Magante, Lori Schwartz, Tehya Kopp, John Schad, Stephen Einhorn e David Kerdoon.

Sumário

Prefácio de Christian Barbosa	13
Apresentação	17
Capítulo 1 – A decisão de ser um vencedor	23
Capítulo 2 – O mundo selvagem das corporações	29
As desculpas dos perdedores	32
Esperança	32
Sorte	34
Talento	36
Vida pessoal	37
Integridade	39
Capítulo 3 – Aja como um caçador	41
Conheça suas fortalezas e suas fraquezas	42
Tenha seus trunfos à mão	43
Um método para aprimorar seu autoconhecimento	45
1. Trace seu perfil	45

A ESTRATÉGIA DO OLHO DE TIGRE

2. Observe o que dá certo e o que não dá	52
3. Verifique se você está preparado	54
Transforme seus sonhos em objetivos	56
Estabelecer objetivos é sempre bom?	62
Um método para definir objetivos	67
1. Identifique o propósito dos seus objetivos	67
2. Identifique sua posição atual em relação ao objetivo	69
3. Limite suas opções	69
4. Seja realista!	70
5. Seja específico nas metas e nos prazos	71
6. Reavalie periodicamente	72
7. Aplique o conceito de "custo irrecuperável"	73
8. Escreva tudo isso	74
Dedicação nunca é demais!	75
Não basta quantidade, é preciso qualidade	77
Prepare-se para os "nãos"	79
Um método para ter dedicação e resiliência	80
1. Invista tempo no planejamento	80
2. Identifique seus períodos áureos	81
3. Siga uma rotina	81
4. Se não está rendendo, mude	82
5. Aumente a carga	82
6. Respeite o tempo	83
7. Treine a resiliência	84
Capítulo 4 – Seja melhor que seus concorrentes	85
Seja criativo: resolva problemas	86
A simplicidade pode ser a solução	87
A criatividade no ambiente profissional	94
Um método para exercitar sua criatividade	99
1. Não apresente ideias, mostre resultados	99
2. Exercite a concentração	100

SUMÁRIO

3. Pratique *mindstorm*: o exercício das
20 soluções ... 101
Aproveite as oportunidades. Todas! ... 106
Identifique as oportunidades ... 109
A síndrome do "não compensa" ... 114
A síndrome do "não sou pago para isso" ... 117
Um método para aproveitar oportunidades ... 123
1. Não menospreze as oportunidades
"menores" ... 123
2. Não tenha medo das grandes
oportunidades ... 123
3. Ande um quilômetro a mais ... 124
4. Aprenda a ver o "ouro" ... 124

Capítulo 5 – Mire os gigantes ... 127
Caia na rede ... 128
O mundo nem sempre é pequeno ... 130
Navegue no mar de contatos ... 134
Um método para "turbinar" seu *networking* ... 138
1. Livre-se dos preconceitos ... 138
2. Saia da zona de conforto ... 138
3. Defina metas ... 138
4. Faça um mapa ... 139
5. Encontre pontos de aderência ... 139
6. Capriche na primeira impressão ... 140
7. Não peça nada no primeiro contato ... 140
8. Peça indicações ... 141
9. Faça manutenção ... 141
Não basta ser, é preciso parecer ... 143
Mostre seu valor ... 147
Venda sua marca ... 148
Faça autopublicidade ... 153
Ocupe uma posição estratégica ... 156

Atitude é fundamental	158
Um método para definir seu posicionamento	162
1.Perceba seu posicionamento atual	162
2.Defina sua meta	162
3.Defina sua estratégia e sua tática	163
4.Reforce seu posicionamento	163

Palavras finais   165

Referências bibliográficas   173

Prefácio

Em meu trabalho com gestão de tempo e de produtividade na Triad, defendo que as pessoas precisam de método para conseguir mais tempo em sua vida. À primeira vista, a palavra "método" parece coisa de engenheiro, mas todo mundo tem um conjunto de métodos predefinidos para viver. Você tem método para dirigir, para tomar banho, para estudar, para gerenciar seu tempo e também para guiar sua carreira.

O *Olho de Tigre* é um método para você transformar sua carreira, para ter mais resultados em seu dia a dia, para conseguir sair da sua zona de conforto e entrar em um ciclo de prosperidade em todas as áreas da sua vida.

No meio da "selva corporativa" que o Renato explora bastante neste livro, ter "olho de tigre" é a diferença entre uma atitude reativa, que muitas pessoas insistem em manter na vida, na qual só reclamam das circunstâncias, acham culpados e não conseguem criar soluções e ser donas de suas escolhas.

Pessoas que são donas de suas escolhas entendem que os problemas acontecem e, quando isso ocorre, são excelentes oportunidades de criar mais um aprendizado; em vez de achar culpados, elas criam soluções. Em vez de vítimas da selva corporativa, elas são responsáveis pelo próprio caminho.

Neste livro, você conhecerá as estratégias de um grande especialista em desenvolvimento profissional para descobrir seus pontos fracos e fortes e aprender a lidar com essa dualidade. Você vai aprender a definir seus objetivos, a ter resiliência e a persistir. Adquirirá uma nova perspectiva sobre a criatividade e sobre as oportunidades para criar um posicionamento único.

Todos os conceitos são simples, mas não simplistas, o que permite a você entender, refletir e aplicá-los se assim decidir. Sua carreira é como uma empresa: você precisa criar seus diferenciais, sua estratégia, desenvolver seu marketing pessoal e persistir, pois nada acontece do dia para a noite.

Eu comecei no setor de tecnologia e hoje, em uma pequena parte do meu tempo, atuo como palestrante, ajudando pessoas e empresas a terem mais tempo. Se alguém me contasse sobre minha carreira quando comecei minha vida eu ia rir: "É impossível um *nerd* ser palestrante!". A vida, porém, dá voltas e são nessas voltas que temos a oportunidade de crescer e sair do lugar. Não basta sonhar: é preciso arregaçar as mangas e ter *Olho de Tigre* para vencer.

PREFÁCIO

Conhecendo Renato há algum tempo, eu tinha a certeza de que este seria um trabalho primoroso, o que você poderá confirmar ao término da leitura. Espero que você aplique o que lerá neste livro e lembre-se de administrar muito bem seu tempo! Ele é essencial para sua carreira ter muitos resultados com equilíbrio ao mesmo tempo!

Boa leitura!

Christian Barbosa

Empreendedor, palestrante, *nerd* e
escritor de diversos livros sobre produtividade,
entre eles: *Você, dona do seu tempo*,
Mais tempo, mais dinheiro e *A tríade do tempo*
www.christianbarbosa.com.br

Apresentação

Muito antes de ser executivo e de chegar a ser presidente de empresas, eu era músico profissional, mas estava insatisfeito com minha carreira. Eu havia optado pela música instrumental e, mesmo tendo alcançando certo reconhecimento no meio, com CDs gravados e diversas turnês realizadas, enfrentava extremas dificuldades, pois a música instrumental nunca foi muito valorizada.

Como a maioria dos jovens artistas, meu sonho era ser famoso. Não queria ser apenas um bom músico e tocar em bares, eventos ou pequenos shows. Queria ser realmente famoso. No entanto, conforme o tempo foi passando, percebi que isso não aconteceria.

Então me deparei com o dilema: ou me contentaria com a vida de músico, independentemente de ser ou não famoso, ou deveria mudar de carreira. Pensando nessa questão, descobri que o que realmente me movia era o objetivo de realizar "algo grande" e quando não vi mais essa possibilidade com a música, ficou claro que eu deveria mudar minha carreira de forma radical.

Paralelamente à minha carreira artística, para complementar minha renda, eu organizava eventos empresariais com música ao vivo e também trabalhava com agências de publicidade em trilhas publicitárias. Portanto, como tinha certo contato com o mundo corporativo, outro caminho que me pareceu viável para buscar minha realização pessoal foi o mundo dos negócios. Foi quando decidi que perseguiria o objetivo de ser um executivo de sucesso.

A partir daí, embarquei em uma árdua jornada de transformação de músico a executivo, o que me levou aos Estados Unidos, onde cursei um MBA e trabalhei em algumas das maiores corporações do mundo como a Sony Pictures e a Warner Bros. Na Warner fui selecionado para um programa de desenvolvimento de executivos, entre centenas de candidatos vindos dos mais prestigiados MBAs de todo o mundo, e cheguei a ser gestor de uma unidade de negócios que tinha faturamento anual de mais de 2 bilhões de reais.

De volta ao Brasil, continuei galgando os degraus do mundo corporativo e cheguei à presidência da operação brasileira de uma multinacional, no segmento de recrutamento e seleção.

Dirigindo essa empresa desde 2008, tive o privilégio de conhecer muitos executivos que estavam em busca de novas oportunidades de trabalho. Sempre observei com cuidado as razões pelas quais os profissionais saíam de seus últimos empregos e era comum ouvir explicações em que a pessoa nunca assumia responsabilidade por nada. O motivo de sua saída era sempre "culpa" dos colegas, da empresa, da economia, e assim por

APRESENTAÇÃO

diante. Contudo, também ouvia explicações no extremo oposto — por exemplo: "perdi o emprego porque não era muito bom com números" ou "não tinha desenvoltura com clientes" ou ainda "não estava motivado com o meu trabalho e por isso acabei saindo".

Quando perguntava por que então ele ou ela não fez algo para sanar a deficiência, muitas vezes a resposta era: "Ah, mas eu descobri que não tenho talento para isso ou aquilo!" ou "mas realmente não estava mais motivado com o trabalho, foi isso mesmo que aconteceu".

É óbvio que as empresas não querem contratar um profissional arrogante ou que sempre atribui falhas aos outros, mas, por outro lado, por que alguém contrataria um profissional que se automenospreza? Alguém que se autodeprecia é tudo o que as empresas não querem. Posso dizer sem falsa modéstia que consegui ajudar inúmeros executivos a ser bem-sucedidos nessa busca por novos desafios só mudando seu discurso interno e, portanto, sua atitude perante as próprias capacidades.

Analisando minha trajetória desde a mudança de carreira, os anos em que vivi no mundo corporativo norte-americano e os inúmeros executivos que tive a oportunidade de conhecer, passei a refletir mais profundamente sobre a seguinte questão: o que faz um profissional se destacar dos demais no mundo corporativo, independentemente da formação acadêmica ou mesmo da experiência?

A busca pela resposta se tornou quase obsessiva. Frequentemente, quando me via orientando profissionais ou executivos com dificuldades na carreira, vinha-me à mente uma cena de um dos filmes do personagem Rocky Balboa, o incrível boxeador vivido por Sylvester Stallone a partir dos anos de 1970. A série de filmes marcou tanto minha infância e adolescência que cheguei a fazer aulas de boxe!

Na cena em questão, em que o protagonista estava prestes a perder uma luta, seu treinador se aproximava dele e falava: "Olho de Tigre! Lembre-se do Olho de Tigre!". Era a senha para a grande virada. A expressão resumia e ilustrava a saga de um personagem que tinha de enfrentar e superar as situações mais adversas possíveis até a vitória final.

Desde então, passei a estudar e a associar a ideia do *Olho de Tigre* às "lutas" da vida profissional. Cheguei à conclusão de que esse é o critério realmente levado em conta para detectar aquelas pessoas que são forjadas para o sucesso.

Percebi que, no meu caso, o conceito também se aplicava. O que me havia levado para onde eu estava era exatamente o *Olho de Tigre*, que em certas ocasiões significa olhar um obstáculo aparentemente intransponível e mesmo assim não sentir medo e "ir para cima". Em outras, é ter coragem para reconhecer suas limitações e humildade para aprender com os próprios erros. Nos filmes, o lutador caía, levantava, batia e treinava como um louco para alcançar o melhor desempenho.

No fundo, é o que eu mesmo faço. Diante de um ambiente adverso, aproveito cada oportunidade para ir além do que é esperado de mim e uso ao máximo toda a minha criatividade, energia e resiliência para vencer os obstáculos.

Então, quando entrevisto candidatos para formar minhas equipes ou para recomendar a outras empresas, sempre me pergunto se aquelas pessoas têm ou não o *Olho de Tigre*. E seleciono

APRESENTAÇÃO

quem possui essa garra acima da média, essa atitude direcionada para a vitória.

Descobri o verdadeiro segredo por trás de todos os profissionais de sucesso: eles têm o *Olho de Tigre*.

E é essa descoberta que vou compartilhar com você, caro leitor, ao longo deste livro, para que você também alcance isso.

Capítulo 1

A decisão de ser um vencedor

Mais um dia amanhecia e ele tinha de fazer uso de toda a sua perícia para sobreviver, em uma luta que se repetia a cada nascer do Sol. Para manter-se vivo naquele ambiente, era necessário percorrer territórios inexplorados, travar batalhas com inimigos desconhecidos e permanecer alerta o tempo todo. Cada novo desafio superado era apenas mais uma experiência que se acumulava, para vencer outro que surgiria em seguida, ainda mais difícil.

Naquele dia, no entanto, ele estava frente a frente com seu alvo. Nunca esteve tão perto de atingir seu objetivo, perseguido durante tanto tempo. Ele não podia falhar, pois uma ação malsucedida poria tudo a perder. Se não o atingisse, todo o empenho resultaria em desperdício de uma energia preciosa, investida durante semanas a fio em uma perseguição implacável.

Aquele era o momento de usar todas as suas habilidades e os seus recursos para concretizar seu intento de maneira bem-sucedida. Teria de ser extremamente preciso e agir com rapidez, mas também precisava ser paciente até chegar o instante certo para o ataque final. Permanecendo imóvel por alguns segundos, totalmente focado em seu objetivo, observava tudo para avaliar bem os riscos e as brechas. Estava confiante, porém, de que havia escolhido a estratégia correta.

Finalmente, a oportunidade havia chegado. Seu alvo estava ali, concreto, ao alcance da sua visão e na medida de suas forças. Podia até "sentir" sua presença. Já imaginava a inigualável sensação de vitória após o embate. Tão perto, tão possível, tão desejável, mas ao mesmo tempo tão difícil!

Então, parou de pensar, calcular e relutar. Suas opções eram vencer ou vencer. Respirou fundo, juntou todas as energias e partiu para o ataque. Agiu sem vacilar sequer por um momento. Seu adversário era forte e reagia com vigor, mas ele lutava com bravura. Apenas mais alguns movimentos certos e logo tudo estaria resolvido.

Suas investidas eram rápidas, precisas e surpreendentes, mas as reações do adversário também! A certa altura, sentiu a força de um contra-ataque e percebeu que perdia. Se não tomasse alguma atitude naquela fração de segundo, seria sua ruína!

Foi então que fez uma manobra nunca usada antes. Desviou-se do adversário e, com astúcia, estratégia, força e senso de oportunidade, atacou-o por um ângulo totalmente novo e surpreendente.

A DECISÃO DE SER UM VENCEDOR

Finalmente, viu os obstáculos caírem. Havia atingido o tão almejado objetivo! Pôde, então, desfrutar daquele triunfo que, embora momentâneo, reafirmava a posse de seu território.

Entretanto, sabia que amanhã precisaria recomeçar nova batalha para novos avanços e conquistas.

■ ■ ■

Ações como essas fazem parte do dia a dia de um tigre na selva em sua luta para sobreviver. No entanto, essa, na realidade, é a descrição da batalha travada todos os dias no mundo dos negócios por inúmeros profissionais, executivos e empreendedores que precisam enfrentar obstáculos para vencer e alcançar seus objetivos.

Na selva corporativa, todos os dias há problemas imensos e urgentes para resolver, obstáculos aparentemente intransponíveis para ser vencidos e encruzilhadas que implicam decisões muito difíceis. São situações que exigem segurança, precisão e rapidez. Na luta pela ascensão na carreira, esse é o cotidiano.

Há dias em que nada dá certo no universo profissional. É aquela disputa de emprego que é perdida porque se vacila durante a entrevista; ou então uma promoção não conquistada porque "não se estava no lugar certo, na hora certa"; ou ainda uma oportunidade em que um grande negócio é perdido porque não se avalia bem o potencial daquele empreendimento.

Nessas oportunidades, você tem a sensação de que alguma coisa faltou.

Contudo, há ocasiões em que tudo dá certo. Você consegue remover barreiras, resolver problemas e vencer batalhas. Consegue o emprego, a promoção ou, finalmente, fecha o negócio almejado há tanto tempo.

Nessas oportunidades, você tem a sensação de que alguma coisa o fez vencer. E é verdade. Nesses dias, você teve algo que o fez se diferenciar de todas as outras pessoas e destacar-se como vencedor. Nesses momentos, você aplicou na prática o que eu chamo de *Estratégia do Olho de Tigre*.

O *Olho de Tigre* não é apenas aquela garra que você demonstra no instante da vitória. É também sua precisão em definir um objetivo e estabelecer a estratégia para atingi-lo. É seu autoconhecimento, que faz você reconhecer suas fortalezas e suas fraquezas, para conseguir chegar mais rápido à sua meta. É sua dedicação e resiliência, que não o deixam se abater diante dos obstáculos. É sua criatividade, que permite apresentar as melhores soluções para os problemas mais inusitados. É seu senso de oportunidade, que o faz reconhecer caminhos asfaltados onde os outros só veem estradas de terra. É sua rede de contatos, que permite encurtar caminhos. É seu posicionamento, que traduz da melhor maneira possível sua marca pessoal.

Usar a estratégia do *Olho de Tigre* é fazer a diferença entre ser caça ou caçador; entre ser perdedor ou vencedor.

É possível desenvolver o *Olho de Tigre* e usá-lo a seu favor.

Foi por isso que escrevi este livro. Nestas páginas, mostro o passo a passo para você desenvolver, treinar e manter sempre vivo seu *Olho de Tigre*. Aqui ensinarei métodos para aplicar na sua vida profissional e no mundo dos negócios para você vencer sempre.

A DECISÃO DE SER UM VENCEDOR

Você verá que o *Olho de Tigre* não é algo que surge casualmente ou que é espontâneo sempre. É algo que se cultiva ao longo da vida e que se aprende a manejar. Entretanto, depende, antes de tudo, de tomar a decisão de ser um vencedor.

Portanto, decida ser um vencedor ou, então, caia como a presa da própria trajetória. O mundo corporativo é uma selva difícil, na qual só sobrevivem os preparados.

Decida desenvolver a estratégia do *Olho de Tigre* e você terá escolhido alcançar o topo na carreira e nos negócios.

Nas próximas páginas, ensinarei como fazer isso.

Capítulo 2

O mundo selvagem das corporações

No mundo corporativo, a competição é cada vez mais feroz. Empresas lutam brutalmente por fatias de mercado, profissionais se acotovelam por cargos de mais prestígio e com melhor remuneração. É uma luta sem trégua e sem fim. Quanto mais o mundo se moderniza, mais competitivo se torna.

Não estou falando aqui do chamado "capitalismo selvagem", em que muitas vezes prevalece a concorrência desleal e até a desonestidade. Mesmo em um cenário em que claramente as práticas éticas e de governança corporativa são muito valorizadas e no qual o conceito mais abrangente de sustentabilidade é cada vez mais adotado, o mundo corporativo sempre será uma selva.

Mesmo em tempos de crescimento econômico, a qualquer momento, uma empresa pode ter de se adaptar, criar novos produtos e linhas de negócios ou avançar em outros territórios.

A ESTRATÉGIA DO OLHO DE TIGRE

Quando a economia cresce, é como se houvesse abundância de caça na selva. O problema é que abundância de caça atrai predadores, e é com esses predadores que você vai ter de lidar. E quanto a você? Está preparado para a vida na selva corporativa?

Desde a nossa infância, nossos pais nos ensinam que o mais importante na vida é estudar em uma boa escola e cursar uma faculdade de prestígio. Há pais responsáveis que até se sacrificam para garantir o diploma dos filhos. Abrem mão de sonhos e prazeres, fazem horas extras e economizam cada centavo para ver o filho em uma faculdade conceituada. Em países como os Estados Unidos, em que as boas universidades são particulares e muito caras, a poupança para a faculdade começa quando a criança ainda está na barriga da mãe.

Parece uma fórmula perfeita: com o diploma na mão, as portas vão se abrir e o futuro do filho estará garantido. Contudo, isso hoje já não garante mais nada.

Quem sai da faculdade cheio de energia, ideais e ambições, em busca de uma carreira meteórica, e ingressa no mundo corporativo sofre um choque brutal. Além de perceber que não poderá parar de estudar e se aperfeiçoar, vai verificar que é a partir daí que começará mesmo a aprender alguma coisa. Na prática!

Além disso, no entanto, vai encontrar uma massa amorfa de gente estagnada e medíocre, insatisfeita com seu trabalho, com seus negócios e com sua vida. Aqueles sonhos de sucesso que povoam a cabeça dos jovens parecem ter se dissipado na mente e no coração dessas pessoas, cujos diplomas já estão guardados nas gavetas.

O MUNDO SELVAGEM DAS CORPORAÇÕES

É gente que passa o tempo todo contando os minutos para acabar o expediente, ansiando por dias de férias e calculando os anos que faltam para chegar à aposentadoria. Essas pessoas passam a vida profissional assistindo, perplexas, à promoção de colegas que "surgem do nada".

Mesmo assim, a maioria desses profissionais não toma a iniciativa de mudar a própria situação. A tendência predominante é a inércia, optando-se por permanecer na zona de conforto.

O que sempre me chamou atenção no mundo corporativo é o fato de que alguns profissionais — mesmo tendo boa formação acadêmica e experiência em grandes empresas e até em multinacionais — têm carreiras que nunca decolam. E são esses mesmos profissionais que reclamam o tempo todo de seu insucesso.

Pude observar essa tendência durante minha experiência profissional e, mais recentemente, confirmei esse fato por meio de uma pesquisa conduzida pela empresa Trabalhando.com, feita em fevereiro de 2011, que colheu respostas de 700 profissionais com pelo menos cinco anos de experiência corporativa. A pergunta era: "Qual é a hora de mudar de emprego?".

As respostas surpreendem: 51% dos entrevistados não vão atrás de uma nova oportunidade de trabalho proativamente. Desses 51%, 32% só saem do emprego quando recebem uma proposta muito boa e 19% preferem manter-se na mesma empresa, independentemente das condições.

No extremo oposto, existem aqueles profissionais que ficam mudando de emprego a esmo porque esperam ser promovidos de estagiário a gerente em seis meses e, quando isso não acontece, frustram-se e acham que a solução é buscar outra empresa. Esses profissionais, em geral os mais jovens, têm baixo comprometimento e, mesmo com esse aparente dinamismo, acabam também estagnados na profissão. Afinal, mudam de empresa, mas não evoluem na carreira.

AS DESCULPAS DOS PERDEDORES

"Por que não sou escolhido na hora das promoções?
"Por que não recebo propostas melhores de emprego?"
"Por que meu negócio não decola?"
"O que as outras pessoas têm que eu não tenho?"

Em geral, pessoas que estão com a carreira estagnada fazem esse tipo de pergunta. Aliás, fazem esse tipo de questionamento em tom de reclamação. Contudo, suas carreiras não decolam porque, na verdade, estão instaladas conformadamente em sua zona de conforto e não saem dela porque seus cérebros usam o que eu chamo de "desculpas confortáveis", que só convencem mesmo a própria pessoa e só fazem que ela permaneça em uma situação de mediocridade e de fracasso.

Há vários tipos de desculpas confortáveis e que só levam o profissional a ser um perdedor. Quem dá desculpas põe a culpa em algo que não está em si mesmo, para afastar-se da oportunidade de evoluir na carreira e de ter sucesso. Vou descrevê--las aqui para facilitar a identificação.

Esperança

A desculpa confortável de quem põe a culpa na esperança é: "Uma hora aparece aquela promoção".

O MUNDO SELVAGEM DAS CORPORAÇÕES

Esperar que o sucesso vá bater gratuitamente à sua porta é a primeira atitude que leva ao fracasso. Essa é uma postura tão ingênua quanto esperar que alguém se aproxime e o presenteie com uma fortuna sem nenhuma razão.

Pode ter certeza de que a tão sonhada promoção não vai se apresentar por si só. O motivo é simples: não há lugar para todo mundo no topo. Assim como no território do tigre só cabe um predador, as companhias só têm uma cadeira de presidente e as unidades de negócio, poucas vagas para diretores e gerentes. Portanto, para chegar ao topo, o único caminho é sair da inércia e abandonar a zona de conforto.

Corporações são compostas por uma massa de pessoas que trabalham sob o comando de líderes. É assim que o sistema é desenhado. A inércia natural dos seres vivos – sua tendência a procurar o prazer e fugir do desconforto e da dor – é justamente o que faz as pessoas estagnarem.

No mundo profissional, essa atitude é fatal. As empresas escolhem os líderes entre aqueles que se destacam e fazem *mais do que aquilo para o que foram contratados.*

Promover alguém representa grande risco e dispêndio de energia para as organizações. Significa administrar a possibilidade de o promovido não ter as habilidades necessárias para liderar, o que pode causar prejuízos e perda de mercado perante a concorrência. Se realmente não der certo, a empresa terá de demitir o escolhido, o que também representa altos custos e esforços para recuperar a motivação da equipe.

É por isso que ninguém é alçado a um cargo superior a não ser que *já se comporte como um líder mesmo antes mesmo de ser promovido.*

O mundo dos negócios é como o mundo natural: quem não evolui desaparece.

Sorte

A desculpa confortável de quem põe a culpa na sorte é: "Só melhora na profissão quem está fadado a isso".

É comum atribuir o fracasso à falta de sorte. Da mesma maneira, é frequente achar que os vencedores são pessoas afortunadas. Ou herdaram a empresa ou "estavam no lugar certo e na hora certa" ou algo assim. Atribuir o sucesso a um fator "divino" também é caminho certo para o fracasso.

É como aquela piada em que o sujeito pede a Deus todas as manhãs para ganhar na loteria. Passam-se os dias e nada. Depois de meses, ele continuava insistindo: "Meu Deus, peço todos os dias para ganhar na loteria; por que nunca tenho resposta?". Dessa vez, Deus perdeu a paciência e resolveu responder: "Ok, eu faço você ganhar, mas que tal se você, pelo menos, jogar de vez em quando?!". Deus não dá fortuna a quem não faz sua parte.

Quando o magnata Eike Batista entrou na lista da revista *Forbes* como o empresário mais rico da América do Sul (o oitavo mais rico do mundo), muita gente atribuiu seu sucesso ao fato de ele ter tido uma ajuda imprescindível do pai, que foi presidente da empresa Vale (na época chamada Vale do Rio Doce). "Foi o pai dele quem mapeou as minas para ele", era o que eu sempre ouvia. Ou que Abílio Diniz, outro membro da nossa seleta elite de megaempresários, só teve sucesso porque herdou a empresa que o pai havia fundado.

O MUNDO SELVAGEM DAS CORPORAÇÕES

Quando escrevi a primeira edição desse livro, em 2011, Eike Batista era um exemplo de empresário bem-sucedido que, independentemente de qualquer eventual ajuda que teve do pai, havia ido muito além em sua própria jornada como empresário, por méritos próprios. Infelizmente, Eike não pode ser mais considerado um exemplo de empresário bem-sucedido, não só porque seu império empresarial ruiu alguns anos depois, como um castelo de cartas, mas principalmente por ter sido preso acusado de ter pagado propina para o então governador do Rio de Janeiro, Sérgio Cabral, em troca de obtenção de vantagens comerciais. Mas o exemplo de Abílio Diniz continua válido e posso citar também o exemplo de William Henry Vanderbilt, que foi considerado o homem mais rico do mundo em 1885. Muitos atribuíam o seu sucesso ao fato de ele ter recebido uma grande herança do seu pai, o magnata das ferrovias Cornelius Vanderbilt, que lhe deixou como herança algo em torno de 100 milhões de dólares. Porém, quando William faleceu, sua fortuna não era apenas de milhões, mas sim de bilhões de dólares. Indo além, o magnata norte-americano Donald Trump, que inclusive se tornou presidente dos Estados Unidos em 2017, herdou do pai uma empresa de construção civil e transformou-se em um dos maiores empresários do ramo imobiliário dos Estados Unidos. Seu irmão, Fred Trump Jr., que também teve as mesmas condições de Donald, morreu aos 42 anos, vítima de alcoolismo, sem nunca ter realizado nada próximo do que o irmão atingiu.

Outra variação para a hipótese da "sorte" é olhar para um profissional bem-sucedido e decretar que ele estava "no lugar certo, na hora certa".

Com raríssimas exceções, ninguém *está* no lugar certo e na hora certa. As pessoas *se colocam* diante das oportunidades. A qualidade de quem aproveita as oportunidades não está nas *oportunidades* em si, mas sim na visão de quem as aproveita e também em estar preparado para elas.

Romário, o genial centroavante da seleção brasileira, foi um mestre na arte de aproveitar as oportunidades. Seu grande talento não era correr, assim como sua qualidade não era o preparo físico. O que o "baixinho" Romário tinha de genial era sua capacidade de se posicionar na área nos momentos decisivos. Isso lhe rendeu mais de 900 gols e o incluiu no seleto grupo dos maiores goleadores da história do futebol mundial.

Não é "pura sorte". Oportunidades têm de ser construídas ou jamais serão aproveitadas. Ele não estava simplesmente "no lugar certo e na hora certa"; ele se colocava nessas situações e estava preparado para elas.

Talento

A desculpa confortável de quem põe a culpa no talento é: "Só progride quem já nasceu com qualidades especiais".

A terceira atitude que leva ao fracasso é atribuir o sucesso dos outros a talentos naturais e dizer: "Se eu tivesse nascido com esse talento para os negócios, também estaria rico!".

Talento é ótimo, mas está longe de garantir por si só o sucesso.

Na época em que trabalhei como músico, convivi com gente de muito talento e que, no entanto, não chegou a lugar nenhum. Eram músicos excelentes: tinham bom ouvido, criatividade, habilidade com o instrumento, senso rítmico... mas a vida deles era um desastre, pois mal conseguiam pagar suas contas. Alguns,

O MUNDO SELVAGEM DAS CORPORAÇÕES

por não saberem negociar um bom contrato. Outros, por desprezarem oportunidades em que poderiam mostrar seu talento.

Além disso, o mundo artístico é pródigo em produzir casos dramáticos, em que gênios destroem suas carreiras por não saber administrar sua vida pessoal.

A galeria é imensa: Billie Holiday e Charlie Parker, no jazz; Marilyn Monroe, no cinema; Jimi Hendrix, Jim Morrison, Kurt Cobain e Amy Winehouse, no rock. São exemplos tristes de que apenas talento não é garantia de uma vida plena e cheia de realizações.

Atribuir o sucesso dos outros ao talento natural tem outro efeito perverso: paralisa nosso desenvolvimento, pois mergulhamos na crença de que não temos talentos "naturais". Isso produz o que os norte-americanos chamam de *self-fulfilling prophecy*, ou seja, a profecia que se autorrealiza.

Quando alguém repete mentalmente que não tem determinado talento, é óbvio que nunca o terá. Se a própria pessoa se menospreza, por que o mundo faria diferente?

Se tivesse outra atitude, essa pessoa saberia que para a falta de talento existe um remédio universal que atende pelos nomes de "estudo" e "trabalho". Existe um consenso entre os gênios que realmente deram certo, de Thomas Edison a Villa-Lobos, segundo o qual o gênio é formado por "1% de inspiração e 99% de transpiração".

Vida pessoal

A desculpa confortável de quem põe a culpa na vida pessoal é: "Não vale a pena".

Muita gente justifica sua estagnação profissional dizendo que não quer prejudicar seu casamento, sua saúde, seu lazer ou sua vida familiar ocupando uma posição melhor. O sucesso, para elas, simplesmente "não vale o sacrifício". Essas pessoas associam ter sucesso com ter desprezo pelas pessoas queridas, pela vida social e pela própria saúde.

Corporações exigem sempre o máximo de seus funcionários, e mais ainda de seus líderes. Isso porque a competição no mercado gera uma pressão que, inevitavelmente, vai penetrar na companhia e ser repassada para todas as equipes.

Há duas formas de encarar essa pressão. Uma é positiva: essa pressão estimula o crescimento, a criatividade e a busca por resultados. A outra é negativa: a companhia quer apenas sugar até a última gota de sangue dos funcionários.

A verdade é que as empresas não querem profissionais com a vida pessoal destruída pelo simples motivo de que isso prejudica o desempenho de qualquer executivo e, consequentemente, gerará prejuízo. Um líder com problemas pessoais graves certamente não terá a concentração necessária para tomar as melhores decisões.

Contudo, não espere que as empresas cuidem disso para você. As metas da empresa são estabelecidas por suas necessidades econômicas, não por "maldade" dos acionistas ou dirigentes, como se passassem o dia conspirando para prejudicar sua saúde e seu bem-estar. Estabelecer limites pessoais cabe a você.

Se o cumprimento das metas está sacrificando sua vida pessoal, alguma coisa está errada — ou com a empresa, ou com seu estilo de trabalho ou com a sua família — e cabe a você reencontrar o equilíbrio. Infelizmente não faz parte dos objeti-

O MUNDO SELVAGEM DAS CORPORAÇÕES

vos das empresas que você seja um bom marido, uma mãe dedicada ou mesmo o mais simpático e generoso entre seus amigos. Esse objetivo deve ser inteiramente seu. No mundo dos negócios ninguém é premiado por simpatia: organizações premiam indivíduos e equipes pelo cumprimento de metas.

Talvez por isso muitos profissionais estagnados se justificam dizendo: "Estou meio acomodado no trabalho, mas em compensação sou um ótimo pai/mãe ou marido/esposa". Se alguém der essa desculpa para o chefe por não apresentar um bom desempenho, estou certo de que ouvirá: "Se você é um(a) ótimo pai/mãe ou marido/esposa, mas não um bom profissional, então fique em casa. Ou, pelo menos, não espere uma promoção".

Integridade

A desculpa confortável de quem põe a culpa na integridade é: "Não quero ser desonesto".

Isso se deve à crença de que o sucesso e o dinheiro são um "mal" a ser evitado, pois eles põem em risco a honestidade, a integridade pessoal e os princípios. Segundo esse paradigma, a única maneira de alcançar o sucesso é trilhar o caminho da ganância e da desonestidade.

Como morei durante anos nos Estados Unidos, vivi de perto as diferenças culturais entre eles e nós. É lógico que temos muitas qualidades, mas há um quesito em que os nossos amigos do norte levam enorme vantagem: a naturalidade com que encaram o dinheiro e o sucesso.

No Brasil, por razões históricas e culturais, vigora uma postura hipócrita em relação ao dinheiro. Nos Estados Unidos, se alguém fica rico é admirado e imitado. No Brasil, a primeira pergunta é: "O que ele aprontou?" ou então "Que esquema ele armou?".

É óbvio que existem casos de corrupção, concorrência desleal e injustiças no mundo corporativo, tanto aqui quanto em qualquer país. É ingênuo, porém, pensar que o Brasil é um imenso país habitado por 200 milhões de corruptos.

Muita gente por aqui tem certeza de que todo indivíduo bem-sucedido ou é desonesto ou ladrão ou injusto ou antiético... ou uma soma disso tudo. Na lista de qualidades, esquecem de apontar a maior de todas: "competência".

O preconceito em relação ao dinheiro tem um efeito devastador no mundo profissional e dos negócios. É o principal mecanismo de autossabotagem que trava seu desenvolvimento.

Dinheiro e sucesso trazem felicidade, sim. Para você, para seus entes queridos e para qualquer causa que você queira abraçar. Portanto, chega de desculpas e faça como o tigre: trate de caçá-los!

Diferentemente desses perfis, as empresas hoje querem profissionais com garra e determinação acima da média. Querem pessoas que façam brilhar os olhos de um entrevistador, por terem, além da qualidade técnica, verdadeira paixão pelo que fazem e uma atitude de comprometimento que mostre que vão resolver os problemas e, principalmente, agregar valor à posição que pretendem ocupar.

As empresas querem profissionais que tenham o *Olho de Tigre*.

É por isso que você precisa aprender a desenvolvê-lo no grau máximo que conseguir.

Capítulo 3

Aja como um caçador

O primeiro grande segredo para ter sucesso no mundo corporativo é agir como um caçador. Isso significa encarar seus objetivos da mesma maneira que os grandes predadores da selva encaram suas presas e com a mesma eficiência quando chega o momento do ataque.

Para uma caça bem-sucedida, o caçador tem de estar preparado, assim como o profissional que quer chegar ao topo em seu negócio e alcançar seus objetivos pessoais e corporativos. Para essa preparação, é preciso:

- Ter consciência de suas fortalezas e de suas fraquezas, ou seja, desenvolver apurado *autoconhecimento*.

- Ter foco ao *definir o objetivo*, pois este deve ser coerente com suas habilidades e limitações.

- Ter *dedicação* extrema, incansável e eficiente.

Esses três pontos são a primeira parte do método para desenvolver o *Olho de Tigre*. Vou mostrar a seguir como conquistá-los.

CONHEÇA SUAS FORTALEZAS E SUAS FRAQUEZAS

"Quando você olha para o espelho, está olhando para o problema. Contudo, lembre-se: você também está olhando para a solução."

Anônimo

Antes de se preparar para o ataque, um tigre sabe exatamente quais são seus pontos fortes e fracos, ou seja, suas fortalezas e suas fraquezas.

Apesar de possuir um olhar tão assustadoramente penetrante, a visão não é seu sentido mais aguçado. Por enxergar mal, os tigres desenvolveram a audição, capaz de perceber presas a grandes distâncias, localizá-las e reconhecê-las. O tigre sabe também que é um bom nadador e por isso nenhum rio ou lago é um obstáculo entre ele e sua presa. Conhece seu tamanho, o poder de suas mandíbulas, seu imenso vigor físico e a força mortal de suas patadas.

O que o tigre sabe intuitivamente sobre si mesmo — seu auto-conhecimento — é essencial para ele ocupar o topo da cadeia alimentar em seu território. No mundo corporativo as coisas funcionam da mesma maneira: se você não tiver plena consciência de seu potencial e de suas limitações, será a presa e não o predador.

AJA COMO UM CAÇADOR

Tenha seus trunfos à mão

Já encontrei diversos profissionais com grande potencial, mas que, por não entenderem seus pontos fortes e fracos, apresentavam um desempenho medíocre. Em vez de investir em suas fortalezas e usá-las como trunfos, deixavam as oportunidades passar. Vou contar um caso que ilustra bem esse ponto.

Certa vez conversei com uma jovem executiva de vendas, Carla,[1] que estava tendo dificuldades para atingir suas metas e corria sério risco de ser demitida. Ela tinha excelente formação e parecia inteligente e dedicada, mas algo não estava dando certo.

Depois de alguns minutos ouvindo, perguntei por que ela havia escolhido a área de vendas, se sua graduação, fora em engenharia. O diálogo foi revelador:

— Ninguém dá valor às pessoas que ficam atrás do computador analisando números. A glória está com os profissionais que trazem receita para a empresa, por isso escolhi a área de vendas.

— Julgando pela sua escolha de graduação eu diria que você tem facilidade com números. Correto?

— Sem dúvida, e eu uso muito essa habilidade na minha função de executiva de vendas. Faço todos os cálculos de descontos de cabeça, nem preciso de calculadora!

---

[1] Nesta e nas outras histórias contadas neste livro os nomes das pessoas foram trocados para preservar sua identidade.

Aprofundando nossa discussão perguntei o que ela fazia para fechar uma venda e sua resposta foi ainda mais reveladora:

— Como não tenho muita paciência para "blablablá", aumento minhas probabilidades de venda visitando o maior número de *prospects*. Dessa maneira, estatisticamente, tenho mais chances de concretizar uma venda.

O raciocínio de Carla parecia coerente do ponto de vista matemático, mas, do ponto de vista estratégico, era desastroso!

Uma das premissas mais importantes para um profissional de vendas é criar empatia com o seu *prospect* para concretizar uma venda, mas Carla obviamente não conseguia fazer isso por enxergá-los como números, e não como pessoas.

Uma simples mudança de estratégia melhoraria o desempenho de vendas de Carla. Por exemplo, ela poderia diminuir o número de visitas e passar mais tempo com cada *prospect*. Contudo, será que isso transformaria Carla automaticamente em uma vendedora de sucesso? Certamente não, simplesmente porque Carla *não tinha habilidade com pessoas, algo essencial para qualquer vendedor.*

Em contrapartida, ela tinha uma grande habilidade com números que estava sendo desperdiçada, pois fazer cálculos de descontos de cabeça não representava nenhuma vantagem competitiva na área de vendas.

Finalmente, contei para ela a história de um engenheiro químico que nunca "vendeu" nada, mas que, graças ao seu extremo talento com números e principalmente à sua consciência dessa fortaleza, foi subindo em sua organização até chegar ao

AJA COMO UM CAÇADOR

topo, lá permanecendo por muitos anos. A empresa em que ele trabalhava era a General Electric e o nome do engenheiro é Jack Welch, considerado por muitos até hoje o maior CEO de todos os tempos.

A história de Jack Welch comprova que, ao contrário do que Carla pensava, não é preciso "escolher a área de vendas" para subir na empresa. Grandes líderes podem vir de qualquer setor, inclusive de uma área extremamente associada a números, como a engenharia.

O próprio Jack Welch diz: "Se uma empresa não tem uma vantagem competitiva, não deve nem competir". Isso se aplica também aos profissionais. Por isso, invista tempo para conhecer profundamente suas habilidades e limitações a fim de entender qual é sua verdadeira vantagem competitiva.

UM MÉTODO PARA APRIMORAR SEU AUTOCONHECIMENTO

1 Trace seu perfil

A percepção que temos de nós mesmos pode ser distorcida. Às vezes, por baixa autoestima, outras, por influência dos pais, que nos passam mensagens, mesmo que subliminares, durante a nossa infância que acabam virando "verdades" sobre nossas qualidades e nossas limitações.

As mensagens que trazemos de nossos pais são quase sempre suspeitas. Pais médicos tendem a querer filhos médicos. Isso pode dar certo e a prova é que há "dinastias" de médicos cujo sobrenome alavanca a carreira de gerações e gerações.

A herança genética, porém, é muito mais complexa do que os desejos e as projeções de nossos pais. Há inúmeros exemplos de pessoas que perderam anos de suas vidas desperdiçando seus talentos naturais. Qualidades podem ter sido herdadas de tataravós ou não ter sido herdadas de ninguém. Cientistas cognitivos ainda debatem quanto ao que prevalece nas características natas de um indivíduo: qual é a porcentagem da genética? E qual é a porcentagem da experiência?

Por isso, a melhor estratégia é ter frieza e fazer uma autoanálise rigorosa e realmente honesta sobre suas fortalezas e suas fraquezas, independentemente do fato de elas terem vindo de seus pais ou da sua experiência de vida. Para que a análise seja a mais objetiva possível, é sempre bom recorrer a metodologias comprovadas.

Talvez o mais famoso método de análise de uma empresa ou de um produto em relação ao mercado seja a análise SWOT, sigla em inglês para *Strengths, Weaknesses, Opportunities, and Threats* (Fortalezas, Fraquezas, Oportunidades e Ameaças). Embora tenha sido concebida originalmente para analisar produtos e marcas, a análise SWOT também pode ser aplicada, com grande precisão, em outras situações.

Vamos, em uma simulação, aplicá-la ao tigre. Você vai notar que esse método demonstra por que ele é um animal tão eficiente em seu território.

AJA COMO UM CAÇADOR

Análise SWOT do tigre

Fortalezas	Fraquezas
■ Tamanho (outros predadores o respeitam por seu tamanho) ■ Força física ■ Potência da mordida e da patada • Audição • Agilidade	• Tamanho (que dificulta esconder-se para um ataque surpresa) • Visão limitada • Necessita de muitas calorias para manter seu porte físico • O fato de ser um caçador solitário (ao contrário de outros felinos, como os leões, que caçam em bando e aumentam as probabilidades de sucesso no ataque)
Oportunidades	**Ameaças**
• Vasto território, com grande possibilidade de encontrar alimento • Políticas de proteção ao meio ambiente que contribuem para preservar sua existência e sua multiplicação • Existência de relativamente poucos predadores tão potentes como o tigre	• Tigres machos mais jovens • Outros predadores poderosos, como os leopardos, que ocupam seu território • Ação humana sobre a natureza (que reduz seu território e a oferta de alimento)

Nesse exercício, note que uma mesma característica — o tamanho — foi considerada tanto fortaleza quanto fraqueza. Isso acontece porque, dependendo do contexto, essa característica poderá ajudar ou atrapalhar. Para defender o território, é bom que o tigre exiba seus 200 quilos distribuídos em 2,5 metros, pois a simples visão de um tigre desestimula qualquer invasor. Contudo, na hora de se esconder

A ESTRATÉGIA DO OLHO DE TIGRE

para o ataque, seja contra um invasor, seja para abater uma presa, o tamanho é uma desvantagem, pois dificulta a dissimulação de sua presença, ou seja, o fator-surpresa.

Agora vamos imaginar que o tigre não tivesse consciência de sua força muscular e agilidade. Nesse caso, ele certamente nem tentaria atacar um animal maior do que ele. Não é o que acontece. Algumas espécies de tigre abatem búfalos e outros bovinos, muito maiores e mais pesados do que eles. Fazem isso porque conhecem suas fortalezas.

Quando resolvi mudar de carreira, pensei muito no que queria alcançar e o que teria de fazer para chegar lá. Defini então que queria ser um executivo de alguma grande empresa de entretenimento. Para isso precisaria estudar, tendo em vista que minha formação era em música. Informei-me sobre opções disponíveis e o que me pareceu o caminho mais realista para essa mudança de carreira foi cursar um MBA (*Master of Business Administration*). Como os melhores cursos de MBA estavam nos Estados Unidos, comecei uma longa preparação para conseguir entrar em um desses programas naquele país.

Dois anos depois, após muita dedicação e incontáveis noites sem dormir me preparando para testes infindáveis, estava ingressando na University of Southern California, Marshall School of Business, um dos 25 MBAs mais prestigiados dos Estados Unidos, no coração de Los Angeles, a capital mundial da indústria de entretenimento.

O desafio, no entanto, havia apenas começado. Músico, estrangeiro, inexperiente — parecia só haver obstáculos para minha intenção de me tornar um executivo de sucesso.

Eis como seria a minha análise SWOT naquele momento da minha carreira:

Análise SWOT de Renato Grinberg em 2000

Fortalezas	Fraquezas
- Criatividade - Comunicação - Liderança - Confiança - Disciplina e dedicação - Trilíngue (inglês, espanhol e português) - Capacidade analítica	- Falta de experiência corporativa - Comunicação: pelo fato de inglês não ser o meu idioma nativo - Formação em música (em vez de administração ou algo mais tradicional como engenharia) - Ser estrangeiro (sim, existe preconceito) - Não conhecer o mercado local - Não conhecer tão bem a cultura local
Oportunidades	**Ameaças**
- Empresas locais querendo se expandir internacionalmente poderiam enxergar um executivo estrangeiro como mais adaptado para essa expansão, pois em geral executivos norte-americanos não falam outros idiomas - Potencial interesse especificamente no mercado do meu país de origem - Movimento das grandes empresas em ter maior diversidade entre seus funcionários	- Dificuldade de conseguir um visto de trabalho nos Estados Unidos - Oferta excessiva de profissionais na área de entretenimento - Mercado de entretenimento em um período de insegurança pela questão dos *downloads* ilegais - Corte de funcionários nos grandes estúdios

Perceba que a análise SWOT ajudará a definir sua vantagem competitiva, ou seja, o que você tem de diferencial em relação aos outros, algo fundamental não só para uma empresa, mas também para um profissional atingir o sucesso. Repare também que as vantagens competitivas não são absolutas, mas um reflexo do cenário em que você está inserido. Por exemplo, uma das minhas fortalezas sempre foi a capacidade de comunicação. Nos Estados Unidos, porém, essa não era uma vantagem competitiva que eu poderia explorar como principal, uma vez que teria de me comunicar em um idioma que não era o meu. Na mente de qualquer recrutador seria praticamente impossível me enxergar como um grande comunicador, mesmo que eu realmente fosse.

Portanto, tive de escolher alguma outra das minhas fortalezas para usar como vantagem competitiva. No meu caso, foi a minha criatividade aliada à minha habilidade de me comunicar em três idiomas, uma vez que, na indústria do entretenimento, as grandes empresas são multinacionais. Naquele contexto, os três idiomas aliados à criatividade eram uma vantagem competitiva mais relevante do que a comunicação.

Se eu não tivesse outras fortalezas, essas habilidades isoladas não seriam sustentáveis para o meu objetivo de ser um grande executivo. Entretanto, para o objetivo mais imediato, que era, como os norte-americanos dizem, *get the foot on the door*, algo como "colocar um pé para dentro", essas competências me davam alguma vantagem competitiva em relação à grande maioria dos norte-americanos. Como se sabe, americanos não dão tanta importância a outros idiomas, até porque sua língua nativa, o inglês, é o verdadeiro "esperanto" do mundo contemporâneo.

As outras fortalezas, como liderança, disciplina, confiança e capacidade analítica, características que desenvolvi como músico, tratei de "transplantar" para uma carreira de executivo. Um músico instrumentista frequentemente passa dias treinando uma única frase musical. Para isso, tem de desenvolver enorme disciplina e concentração e repetir aquela sequência à exaustão, até que sua execução seja natural. Também é necessária muita confiança para subir em um palco e se apresentar para plateias diversas. A capacidade analítica ficava por conta da necessidade de estudar obras complexas de compositores como Béla Bartók ou Bach, que possuem intrincada lógica matemática. E a liderança eu desenvolvi estando à frente dos grupos musicais que eu organizava e dos eventos para empresas nos quais eu liderava equipes com vários funcionários. Liderança, capacidade analítica, disciplina e confiança são qualidades evidentes em qualquer executivo de sucesso, seja para liderar equipes, tomar decisões assertivas, analisar o mercado ou planejar ações. Ter consciência dessas habilidades também foi um fator determinante em minha trajetória profissional.

O autoconhecimento é um dos pilares do sucesso em qualquer área. O psicólogo e consultor de empresas americano Herb M. Greenberg (o sobrenome semelhante ao meu é mera coincidência!), após uma pesquisa de dois anos com pessoas bem-sucedidas em diversas áreas, chegou à conclusão de que o autoconhecimento era a base do sucesso desses profissionais. Ele garante que essas pessoas "conseguem compreender a si mesmas e sabem o que fazem de melhor; conhecem exatamente quais são suas fraquezas e seus pontos fortes e por isso se destacam das demais".

Existem outras ferramentas ou testes que analisam o perfil comportamental de uma pessoa. Um deles é o DISC, sigla em inglês para *Dominance, Influence, Steadiness and Conscientiousness* (Dominância, Influência, Estabilidade e Conformidade). Foi baseado na obra do psicólogo norte-americano William Moulton Marston, na primeira metade do século XX, e consiste em detectar as tendências de comportamento das pessoas.

Segundo o método DISC, essas tendências não são excludentes, pois estão presentes em todas as pessoas. O que o teste detecta é qual ou quais delas são predominantes. O interessante é que não há juízo de valor na avaliação DISC, ou seja, não há certo ou errado. O teste apenas mostra como a pessoa age naturalmente e, portanto, munido dessa informação, um profissional pode avaliar se está seguindo ou não suas tendências naturais. No site *http://disc.triata.com.br*, há uma versão resumida e gratuita de um teste comportamental baseado na metodologia DISC.

2 Observe o que dá certo e o que não dá

Como vimos neste capítulo, a análise SWOT é uma excelente ferramenta. Entretanto, como saber se uma característica é, de fato, uma fortaleza para você?

Uma das formas é lembrar-se de suas experiências, separando as que causaram realização das que causaram frustração. Olhe para trás e verifique, em sua vida, o que deu certo e o que não deu; o que você fez com prazer e fluência e o que foi penoso e desgastante. Se você separar essas experiências em duas listas, vai ter um perfil de quais são suas fortalezas reais e quais não são.

Lembre-se de suas melhores realizações e faça a si mesmo perguntas como estas:

— Você trabalhou melhor em equipe ou sozinho?

— Você se realizou mais *preparando* apresentações de projetos ou *apresentando* esses projetos?

AJA COMO UM CAÇADOR

— Ao se deparar com um problema, você se valeu mais da sua intuição ou da análise de dados para chegar a uma solução?

– Você teve mais sucesso em discussões presenciais ou por e-mail?

As respostas que você der serão indicativos seguros sobre suas reais habilidades, muito úteis para montar sua análise SWOT ou aplicar em qualquer outro sistema de autoavaliação.

Foi o que eu mesmo fiz. Olhando em retrospecto, observei que, quando eu negociava contratos com as empresas para as quais organizava eventos com música ao vivo, eu me sentia bastante confortável nessa função. Eu entendia o que meu cliente queria, ou seja, a suas necessidades, e adaptava meus projetos e minhas ideias para satisfazer essas necessidades. Quase sempre era bem-sucedido.

No entanto, quando eu procurava divulgar a minha obra musical, não tinha o mesmo sucesso porque queria adaptar o mercado à minha música e não o contrário. Sendo honesto comigo mesmo, percebi que me sentia mais realizado fechando grandes contratos do que tocando. Por isso, a ideia de uma mudança de carreira tão radical não me pareceu absurda.

Contudo, é preciso ter cuidado, pois nem sempre o que somos ou achamos que somos corresponde à percepção que os outros têm de nós. Em marketing, há um princípio que diz que "percepção é realidade", no sentido de que a percepção do consumidor em relação a um produto ou a uma marca é o que importa, independentemente de ser verdadeira ou não.

Portanto, de nada adianta você achar que é um bom comunicador se o seu público não acha, ou considerar-se um grande analista se o resultado de suas análises nunca é adotado.

3 Verifique se você está preparado

Uma vez definidos quais são seus pontos fortes e fracos, é preciso saber o que fazer com eles. Afinal, uma coisa é ter uma habilidade natural; outra, muito diferente, é transformar essa fortaleza em uma vantagem competitiva.

Para isso, responda a duas perguntas:

a) O que falta para essas habilidades se converterem em resultados positivos? De que "munição" eu preciso para potencializar essas qualidades?

b) O que fazer com as fraquezas?

Esse dilema — o que fazer com os pontos fracos — tem dividido os especialistas em gestão de pessoas. Há uma corrente partidária da tese de que sua energia deve ser investida somente no aprimoramento das suas qualidades. Segundo eles, o importante é ser muito bom em alguma coisa, e não ser mediano em tudo.

Outra corrente diz que a velocidade de progresso de um executivo em sua carreira está diretamente ligada à sua competência mais fraca. Portanto, uma fraqueza funciona como uma espécie de âncora da carreira, independentemente das fortalezas desse indivíduo. Seria preciso, portanto, prestar atenção nos pontos fracos para acelerar o avanço.

Concordo plenamente que devemos focar em nossas fortalezas, para justamente termos uma vantagem competitiva, mas os pontos fracos também precisam ser muito bem cuidados e não ignorados como alguns autores sugerem.

No exemplo que dei sobre Carla, hábil com cálculos, mas que se forçou a trabalhar com vendas, ela estava na posição errada, pois

AJA COMO UM CAÇADOR

não usava sua fortaleza — a capacidade de lidar com números — de maneira realmente útil. Deveria, portanto, mudar de função. Entretanto, mesmo com a mudança de função, se ela não desenvolvesse a competência interpessoal a um nível razoável, continuaria com dificuldades de progredir na carreira. Nas guerras do mundo corporativo, como nas batalhas da selva, o que muitas vezes derruba um competidor são justamente seus pontos fracos. Portanto não podemos nos descuidar de nossas fraquezas.

Pelé é um exemplo extremo dessa verdade: ele tinha uma habilidade natural — na verdade, extraordinária — com o pé direito. Em que ele dedicava certo tempo de seu treinamento? Chutando com o esquerdo.

Para aqueles que querem ser líderes em uma empresa, não existe atalho: precisarão entender de vendas, marketing, finanças, de questões jurídicas e administrativas, de gestão de pessoas, *além* de ter conhecimento profundo do mercado específico da sua empresa. Precisarão não apenas "chutar com os dois pés", mas usar tudo o que for necessário. Líderes de empresas podem vir das mais diversas áreas, mas sabem que terão de dirigir a companhia ou suas unidades de negócio como um todo e que assumirão a responsabilidade por quaisquer resultados, sejam eles positivos ou negativos.

Por exemplo, se você quer ser presidente da empresa e veio da área financeira, algo que é perfeitamente plausível, não pense que poderá entregar as questões de marketing ao diretor da área. Mesmo não sendo sua especialidade, terá de ancorar suas decisões em conhecimento, não apenas em intuição.

Quando você é presidente de uma empresa, é responsável por tudo. Acionistas não costumam aceitar líderes que vivem culpando seus subordinados. Nesses casos, o mais comum e econômico é trocar de líder. E, se além de presidente de sua empresa você também é

A ESTRATÉGIA DO OLHO DE TIGRE

o dono, tanto pior: você vai ter de explicar seus fracassos à sua consciência ou à sua família.

Imagine o tigre que volta da caçada sem alimento para os filhotes. Ele não teria a chance de "explicar" nada à tigresa, pois não existem desculpas e explicações no mundo natural. Na próxima temporada de acasalamento, ela simplesmente o trocaria por outro tigre, mais competente.

TRANSFORME SEUS SONHOS EM OBJETIVOS

"Um objetivo definido corretamente já está 50% atingido."

Zig Ziglar

Definir objetivos é uma das tarefas mais difíceis em qualquer trajetória de sucesso. Se os objetivos forem ambiciosos demais, pode-se desperdiçar muito tempo e energia em vão. Se forem muito fáceis de atingir, não servirão de estímulo para grandes mudanças.

Como se vê, trata-se de colocar na balança dois fatores: de um lado, sua ambição; de outro, as possibilidades que realmente se apresentam.

Nesse processo, o erro mais comum é confundir **objetivo** com **sonho**.

Sonhos são subjetivos, ou seja, levam em consideração apenas o que o sujeito deseja e acontecem apenas na imaginação. Por isso não têm limites. Nos sonhos, podemos ser superpoderosos, milionários, amados pelos mais incríveis parceiros. Podemos voar, viajar no tempo, voltar à infância, encontrar pessoas queridas, resolver problemas complexos em poucos segundos... Se o sonho for daqueles maravilhosos, seremos imperadores de poder infinito, reinando em paz.

Sonhos são mesmo maravilhosos, mas têm um pequeno problema: descolados da realidade, viram fumaça no momento em que acordamos. No mundo corporativo, isso às vezes tem um efeito cruel, pois pode significar a insistência em um projeto sem futuro, seja ele um objetivo profissional ou um empreendimento.

É por isso que desconfio do que leio e ouço em tantos livros e palestras motivacionais: devemos sempre "perseguir nossos sonhos", sejam eles quais forem.

Será verdade? Infelizmente, nem sempre. Um sonho pode ser um excelente elemento motivador, mas sua vantagem para por aí. Se for um sonho impossível, será apenas isso, um desejo inviável, ou poderá até se transformar em uma obsessão. Sonhos só devem ser perseguidos se forem *transformados em objetivos*.

Ao contrário dos sonhos, objetivos são tangíveis, pertencem à realidade e têm características muito específicas:

- São específicos.

- São mensuráveis.

- São planejados.

- São flexíveis.

- Têm prazo.

Confundir sonhos com objetivos quase sempre leva à frustração, ao desperdício de energia e, finalmente, ao fracasso. Portanto, se o sonho se mostrar implausível, pare de persegui-lo. Desista dele, sem piedade. Simplesmente mude seu sonho, ou melhor, transforme-o em um objetivo plausível.

O segredo, no momento de abandonar um sonho, é afastar o sentimento de derrota ou fracasso. Muitos dos grandes empreendedores falharam várias vezes antes de montar um negócio de sucesso. Faz parte do jogo. Quanto mais cedo você perceber que não vai realizar um sonho, mais rapidamente vai perseguir o *objetivo* certo.

Então, não devemos sempre procurar fazer o que amamos? Não seria esse o segredo do sucesso?

Em termos. De fato é muito bom fazer o que se ama, mas há algo tão ou mais importante: aprender a amar o que se faz. Hoje posso dizer com segurança que me sinto muito mais realizado como executivo do que era como músico.

Um dos exemplos mais extremos da confusão que pode ser feita entre sonho e objetivo é o caso de Martin, um analista de sistemas que conheci nos Estados Unidos em uma empresa em que trabalhei.

Martin tinha muita curiosidade de saber mais sobre o Brasil e nossas famosas praias com "mulheres maravilhosas em biquínis minúsculos". Naturalmente, às vezes me incomodava essa visão limitada e, de certa maneira, preconceituosa do Brasil, mas eram exatamente essas as palavras dele quando conversava comigo.

AJA COMO UM CAÇADOR

Martin era muito talentoso na área de informática e também muito ambicioso. Certa vez, fomos almoçar juntos e perguntei a ele quais eram seus objetivos profissionais.

— Quero ser muito rico, multimilionário! Mais rico do que o dono desta empresa.

Curioso, perguntei por que ele tinha aquele objetivo.

— Gosto muito de dinheiro.

Insisti um pouco mais e perguntei se a vontade de ser muito rico não teria algo a ver com dificuldades que sua família poderia ter passado quando ele era criança ou algo assim, mas ele disse que não. Era de classe média e o motivo de seu objetivo era simplesmente porque ele gostava muito de dinheiro. Perguntei como ele pretendia alcançar seu objetivo.

— Sou muito talentoso no que faço, por isso tenho certeza de que ficarei milionário — respondeu.

Então perguntei se ele tinha alguma ideia original para montar um negócio ou se pretendia se tornar um alto executivo.

— Não sei bem o que vou fazer, ainda não pensei muito nisso, mas o que sei é que vou ser milionário.

Como sempre tive certa inclinação a aconselhar meus colegas (ou talvez por eu ser intrometido mesmo), ponderei que, sem um propósito e um plano claro de como chegar aos seus objetivos, ele teria poucas chances de alcançá-los.

Comecei a lembrá-lo de tantos livros que li com biografias de pessoas bem-sucedidas que falavam a respeito disso e até da história de como eu mesmo tinha planejado fazer minha mudança de carreira e por isso estava nos Estados Unidos, e assim por diante.

Martin prestou atenção por alguns minutos no que eu estava falando, mas no fundo não queria ouvir:

— Mas... e as mulheres maravilhosas em biquínis minúsculos do Brasil? Fale mais sobre elas...

Obviamente Martin estava mais interessado em saber sobre as mulheres do Brasil do que em refletir sobre seus objetivos e como alcançá-los.

Recentemente, tive notícias de Martin por meio de um amigo em comum. Ele continua trabalhando como analista de sistemas, até hoje não conheceu as praias brasileiras nem as outras maravilhas do Brasil, e, claro, não se tornou um milionário.

Embora Martin tivesse certeza de que seu talento natural o levaria *espontaneamente* a se tornar um milionário, é fácil perceber que isso não aconteceria. Não pelo fato de ele não ser talentoso (era realmente muito bom no que fazia), mas porque ele simplesmente não tinha nenhum plano para atingir seus objetivos: para Martin, ser milionário era um sonho, mas não um objetivo.

No ambiente corporativo, metas devem ser específicas. Por exemplo, se você é vendedor, é melhor estabelecer como objetivo aumentar suas vendas em 20% nos próximos seis meses do que simplesmente "arrebentar como vendedor".

Aqui vale uma dica muito poderosa: escreva seus objetivos em uma folha de papel. Quando você escreve, automaticamente

AJA COMO UM CAÇADOR

começa a ver seu objetivo com a frieza e o distanciamento necessários. Isso permite que você "dialogue" com aquele objetivo e avalie se ele é possível e se é realmente o que você quer para sua vida.

Outra boa estratégia é imaginar-se alguns anos no futuro. Experimente fazer a si mesmo as perguntas: quem eu quero ser daqui a três ou cinco anos? O que eu quero estar fazendo? Como quero ser reconhecido?

Esse cenário futuro tem efeito muito claro sobre o presente: ajuda a tomar decisões. Suas decisões sempre têm de estar totalmente alinhadas com os seus objetivos. Assim, se tiver dificuldade em decidir algo hoje, pergunte antes se essa decisão vai aproximá-lo ou afastá-lo de seu destino final. Esse deve ser o critério. Às vezes, uma atividade glamorosa ou um curso de especialização parecem sedutores e interessantes, mas podem afastá-lo da rota escolhida. Entretanto, algo mais simples como um curso de idiomas ou ir a determinado evento podem aproximá-lo de seus objetivos.

Por exemplo, imagine um jovem que tenha como objetivo ser um grande surfista e, de repente, se vê com a possibilidade de morar em uma cobertura dúplex, rodeado de amigos, de graça — porém em uma cidade que não tem praia. Essa opção parece bem tentadora, mas se ele quiser mesmo ser surfista, qualquer casa, por mais simples que seja, em uma cidade de praia do Brasil está mais próxima de seu objetivo do que a mais sensacional cobertura dúplex em uma cidade sem praia.

Se para ele a expectativa de morar em uma casa simples em uma cidade litorânea pouco charmosa é impensável, não tem jeito: terá de abandonar seu objetivo.

Estabelecer objetivos é sempre bom?

No mundo acadêmico, há inúmeros estudos que comprovam que estabelecer objetivos é excelente para aumentar o desempenho das pessoas.

Um deles foi realizado pelos pesquisadores Edwin Locke e Gary Latham e publicado em 2002. O estudo detectou que a definição de objetivos tem efeito benéfico sobre o desempenho dos indivíduos, por meio de quatro mecanismos:

1. Os objetivos possuem uma função direcionadora de esforços. Eles ajudam a desenvolver atenção e foco.

2. Os objetivos possuem uma função energizante.

3. Os objetivos aumentam a persistência.

4. Os objetivos afetam indiretamente as ações, pois direcionam o indivíduo a pensar e a executar as tarefas baseadas em sua relevância.

Com relação a esse assunto, porém, há pelo menos uma voz dissonante: o especialista em Programação Neurolinguística e *coach* norte-americano Ray Williams defende que definir objetivos, além de ser ineficiente, pode até ser prejudicial!

Williams afirma que o problema de definir objetivos está no fato de que o cérebro humano é resistente a mudanças. Nosso cérebro é desenhado para buscar recompensas e evitar desconfortos, incluindo evitar o medo.

Segundo o especialista, quando o medo de falhar domina o indivíduo que definiu um objetivo, isso acaba prejudicando seu

AJA COMO UM CAÇADOR

desempenho. Williams menciona um livro de Aubrey Daniels, *Oops! 13 management practices that waste time and money* (Ops! 13 práticas de gestão que gastam tempo e dinheiro), inédito no Brasil, que cita um estudo feito em empresas norte-americanas, segundo o qual somente 10% dos funcionários que definiam objetivos conseguiam alcançá-los.

Sua conclusão: as manifestações psicológicas de não atingir objetivos podem ser mais prejudiciais do que não ter nenhum objetivo. Os motivos são os seguintes:

1. O processo cria desejos que não são condizentes com a realidade e, toda vez que desejamos coisas que não temos, nosso cérebro produz emoções negativas.

2. Os objetivos mais distantes requerem que desenvolvamos competências que vão além das nossas atuais. Ao tentar desenvolver essas novas competências, provavelmente falharemos em alguns momentos, o que se tornará desmotivador.

3. A definição de objetivos cria uma polarização do sucesso. As únicas medidas verdadeiras podem ser 100% ou abaixo de 100%, o que significa fracasso. Dessa maneira, podemos focar excessivamente na parte que não alcançamos, ignorando as partes bem-sucedidas.

4. A definição de objetivos não leva em conta as forças do acaso. Não é possível assegurar as variáveis do ambiente para garantir 100% de sucesso.

Estou 100% de acordo... mas não com Williams, e sim com o primeiro estudo!

Williams se esquece de que, justamente por tudo o que falou, a tarefa de definir os objetivos deve ser encarada com disciplina e seriedade, com estratégias bem pensadas e executadas. (Não, não dá para definir objetivos na noite de Ano-Novo, depois de três taças de champanhe e duas caipirinhas...)

Sabemos que nosso cérebro não quer mudanças, mas é exatamente aí que as pessoas de sucesso se diferenciam dos medíocres. Os vencedores são justamente aqueles que vencem a inércia de seus cérebros.

É claro também que, se definirmos objetivos inatingíveis, não os alcançaremos e isso só gerará frustração e desmotivação. Nesse caso, volto a enfatizar que devemos definir objetivos plausíveis e não confundi-los com sonhos.

Quanto às emoções negativas e aos fracassos que eventualmente podemos experimentar, cabe a cada um de nós usar essas emoções de maneira construtiva. A frustração pode ser um elemento poderoso para impulsionar alguém a atingir os objetivos. Lembro-me de que ficava tão frustrado quando as gravadoras não retornavam minhas ligações, que o desejo de ser alguém respeitado foi um fator impulsionador para perseguir meus objetivos.

Objetivos devem ter etapas a ser cumpridas, portanto não é verdade que qualquer resultado menor que 100% significa fracasso. Quanto aos fatores externos que não controlamos, isso é real, mas por isso mesmo sempre temos de ter flexibilidade para adaptar nossos objetivos — ou seja, um plano A e um plano B, como veremos mais adiante neste capítulo.

Finalmente, o fato de que somente 10% dos profissionais atingem seus objetivos significa apenas que o sucesso é mesmo

AJA COMO UM CAÇADOR

difícil. Ninguém vai atingir o sucesso se fixar seus olhos nos 90% que falharam.

Esses são os motivos pelos quais considero que definir objetivos é um componente fundamental do sucesso profissional.

É preciso, portanto, agir como o tigre, que define claramente qual será sua presa antes de atacar e planeja esse ataque meticulosamente. Não é à toa que ele está no topo da cadeia alimentar em seu território. Se você agir da mesma maneira que animais como a galinha, que comem qualquer coisa que esteja no chão, você sempre será dependente do que aparece pela frente e dificilmente atingirá o topo. No mundo corporativo, a estratégia do tigre é um caminho muito mais direto ao sucesso. Você pode escolher: quer ser a galinha ou o tigre?

Estabelecido o objetivo, é preciso planejar cuidadosamente a trajetória para chegar lá. Aqui o segredo é encarar sua carreira ou seu caminho de empreendedor como se fosse uma empresa: faça todas as análises e as projeções que forem possíveis da mesma maneira que uma empresa faria ao lançar um produto.

No entanto, o plano não pode ser rígido, pois há inúmeros fatores que estão fora do seu controle direto. Por isso, é fundamental ter um plano B e talvez até um plano C. Imagine que apareça uma barreira na estrada. Isso vai obrigá-lo a desviar do caminho para retomá-lo mais à frente. O caminho para o sucesso, acredite, está sempre sujeito a barreiras inesperadas.

Ter isso em mente é a forma de diminuir a surpresa dos fatores externos e aumentar seu controle sobre eles.

Antigamente havia a noção de que "a empresa vai cuidar da minha carreira". Isso não existe mais. Hoje, você precisa ter a mente do empreendedor, independentemente de trabalhar para uma empresa ou estar montando a sua. Você terá de construir suas chances e fazer os movimentos certos para alcançá-las. E, se a empresa de fato não oferece chances de evoluir, está na hora de mudar de empresa.

Você pode não controlar as coisas que acontecem no mundo, mas você controla suas ações para chegar mais próximo de onde quer.

Além disso, é o planejamento que garante uma das principais características de um bom objetivo: sua flexibilidade.

Ser flexível — ou seja, ter a capacidade de metamorfosear o objetivo inicial — é um dos grandes segredos do *Olho de Tigre*. Quando o indivíduo desanima porque as coisas não estão saindo exatamente como o planejado, sente-se derrotado e, aí sim, perde o *Olho de Tigre*.

É a habilidade de adaptar seus objetivos que vai construir seu sucesso. Vejo muitos profissionais que estão aquém do lugar onde poderiam estar simplesmente porque estão presos a objetivos não realistas. Ou, então, por perseguir objetivos que não são deles, mas que foram "impostos" pelos pais ou pelo cônjuge. A consequência é que eles se autopunem e acabam se achando medíocres e, infelizmente, tornando-se realmente medíocres.

Agora, vamos ao método. São oito passos para finalmente transformar seus sonhos em objetivos reais.

UM MÉTODO PARA DEFINIR OBJETIVOS

1 Identifique o propósito dos seus objetivos

Pergunte a si mesmo: por que você tem esse objetivo? Quais são os fatores motivadores relacionados ao seu objetivo? Um objetivo sem um propósito claro não tem força e um propósito vazio não o levará muito longe.

Simon O. Sinek, em seu livro *Start with why: how great leaders inspire everyone to take action* (*Comece com por quê: como grandes líderes inspiram todos a agir*), inédito no Brasil, lança um conceito segundo o qual a grande diferença que faz as pessoas comprarem um produto de uma empresa ou seguirem um líder não é *o que* ou *como* eles fazem algo, mas sim *por que* fazem.

Ele diz que, enquanto todas as empresas ou pessoas sabem *o que* fazem e *como* fazem, muitas não sabem *por que* fazem. O livro demonstra que a trajetória das empresas ou pessoas bem-sucedidas começa com o porquê. O *como* e *o que* vêm na sequência.

Para exemplificar, ele usa a empresa Apple e seus desejados computadores MacIntosh, iPhones e iPods. Sinek mostra que, se a empresa de Steve Jobs fosse como qualquer outra, ela se comunicaria começando com *o quê:*

1. Nós fazemos ótimos computadores (o quê).

2. Eles têm um *design* arrojado e uma interface fácil de usar (*como*).

3. Quer comprar um?

A ESTRATÉGIA DO OLHO DE TIGRE

E é assim que a maioria das empresas se comunica e também é como geralmente nós nos comunicamos. A Apple, porém, faz diferente. Ela começa com o porquê:

1. Nós acreditamos em desafiar o *status quo* em tudo o que fazemos; nós acreditamos em pensar diferente (o porquê).

2. A maneira pela qual desafiamos o *status quo* e pensamos diferente é fazendo produtos com *design* arrojado e fáceis de usar (como).

3. Dessa maneira, fazemos excelentes computadores (o quê).

4. Quer comprar um?

E ele conclui que as pessoas compram o "por que você faz" e não "o que você faz".

Outro exemplo marcante que ele menciona é o de Martin Luther King, o lendário líder do movimento dos direitos civis nos Estados Unidos nas décadas de 1950/1960. Ele defendia que houvesse a igualdade entre os homens, no caso entre brancos e negros, *porque* essa era a lei de Deus e, portanto, também deveria ser a lei dos homens. Ele se destacou entre tantos outros líderes da época porque se focava no porquê da causa e não no como ou no quê.

Para a sua trajetória profissional, seu primeiro e mais importante cliente é você mesmo! Se você não "comprar" a ideia do seu objetivo, não o atingirá. Portanto, gaste o tempo que for necessário para entender o porquê do seu objetivo e se você achar que o porquê não faz sentido, é melhor então partir para outro.

AJA COMO UM CAÇADOR

2 Identifique sua posição atual em relação ao objetivo

Quando um atleta, como um nadador ou um corredor, almeja bater um recorde olímpico, ele sabe exatamente qual é seu desempenho atual em relação ao recorde. A partir dessa informação, ele desenha todo o seu plano de treinos para chegar ao objetivo desejado. Afinal, o plano de um estagiário para se tornar presidente de uma empresa é muito diferente do plano de um diretor ou de um vice-presidente.

No caso do estagiário, é óbvio que existem várias etapas pelas quais ele terá de passar e, provavelmente, precisará ter vários anos de experiência corporativa antes de se tornar o presidente de uma empresa.

Entretanto, outro caminho que ele poderá escolher é o de se tornar presidente da própria empresa, ou seja, empreender. Esse caminho será muito mais rápido que o outro para chegar a ser presidente de uma empresa, mas também trará uma série de riscos inerentes a essa escolha.

O ponto aqui é que entender claramente sua posição em relação ao objetivo lhe ajudará a identificar se o objetivo é realmente apropriado para você e se suas expectativas estão alinhadas em relação aos desafios e ao prazo esperado para alcançá-lo.

3 Limite suas opções

O senso comum nos diz que, em momentos de decisão, é melhor ter muitas opções do que ter poucas — ou seja, ter um vasto cardápio melhora nossas chances de acertar.

O psicólogo norte-americano Barry Schwartz acha que não. Em seu livro *O paradoxo da escolha: por que mais é menos*, ele afirma que

A ESTRATÉGIA DO OLHO DE TIGRE

a quantidade exagerada de opções que existem em nossa sociedade — das centenas de tipos de molhos de salada que se pode comprar em um supermercado à infinidade de opções de produtos tecnológicos — acaba atrapalhando, pois nos levam a demorar mais para tomar decisões. Além disso, mesmo após termos tomado uma decisão, questionamos incessantemente se outra opção não teria sido melhor.

Ele cita um estudo que media a porcentagem de adesão a planos de previdência de trabalhadores norte-americanos. Baseado em uma análise com mais de 1 milhão de trabalhadores, identificou-se que para cada 10 opções adicionais de fundos de investimento que a empresa oferecia, a taxa de adesão diminuía em 2%. Esses 2% de pessoas que não aderiam aos planos estavam perdendo a oportunidade de receber um benefício extremamente valioso. Ou seja, as muitas opções de fundos faziam que esses funcionários não decidissem por nenhuma.

Aplicando ao nosso tema, é fácil perceber que muitas opções de objetivos podem acabar dificultando e adiando a decisão. Por esse motivo, comece tirando do seu cardápio aquelas opções menos realistas, mesmo que sejam sedutoras.

A seguir faça o mais importante: depois de ter decidido, esqueça as outras possibilidades até o momento de revisar seus objetivos.

4 Seja realista!

Você precisa realmente acreditar que é possível!

Para saber se seu objetivo é realista, é preciso observar a realidade que o cerca. Portanto, na hora de estabelecer um objetivo, leve em conta não só os fatores intrínsecos, mas também os extrínsecos. Ou seja, não basta olhar para dentro de si, por melhor que tenha sido

AJA COMO UM CAÇADOR

seu processo de autoconhecimento. O contexto em que você está inserido não pode jamais ser negligenciado.

Vamos imaginar que seu plano seja tornar-se um grande executivo em outro país (um desafio difícil que eu mesmo enfrentei). É um belo alvo, mas, para ser plausível, é preciso que você responda afirmativamente às seguintes perguntas:

- Os passos que você terá de dar para se aproximar do alvo estão ao seu alcance?

- Você já domina a língua?

- Você tem reservas financeiras para se manter?

- Se você for casado(a), seu cônjuge apoia essa decisão?

Alvos não podem ser tão distantes a ponto de você não enxergá-los ou ter obstáculos intransponíveis. Portanto, descreva em detalhes todas as barreiras que poderão haver pelo caminho e trate de encontrar soluções para atravessar cada uma delas. Se, depois de ter analisado exaustivamente todas as possibilidades de transpor as barreiras, você não achar uma solução viável, terá de readaptar seu objetivo. Entretanto, cuidado: a análise tem de ser realmente exaustiva! Não desista logo no primeiro sinal de dificuldade.

5 Seja específico nas metas e nos prazos

Objetivos vagos e sem planejamento não são objetivos. São apenas sonhos.

Por exemplo: "Quero aumentar minha renda em 30% em 1 ano" é um objetivo. Ao contrário, "quero ser milionário" é apenas um sonho.

A ESTRATÉGIA DO OLHO DE TIGRE

Essa atitude tem de ser exercitada em todos os detalhes do plano. Se para atingir seu objetivo for necessário fazer um curso de especialização, isso tem de ser planejado no tempo e no espaço. Em qual universidade? Quando vou me inscrever? Quanto custa? Quando vou concluir o curso?

Se não fizer isso, todo o seu plano dependerá de um item "solto" na agenda. É por isso que é tão importante pensar em todos os detalhes.

Quando era músico, uma técnica muito eficaz que eu usava para ter um desempenho sem falhas era imaginar como seriam todos os detalhes da minha apresentação, imaginando inclusive minha mão percorrendo o braço do violão em todas as posições das obras que eu tocaria. Faça o mesmo com seus objetivos.

6 Reavalie periodicamente

Objetivos não podem ser leis inscritas em uma pedra para sempre. Têm de ser flexíveis. Isso é exercitado nas reavaliações periódicas (pode ser a cada seis meses ou de acordo com a necessidade). Sempre tenha um plano B em mente.

Portanto, objetivos têm de ser encarados como "alvos móveis", ou seja, alvos que mudam de lugar e obrigam o "atirador" a se reposicionar para atingi-los.

A história do mundo dos negócios está repleta de casos em que a realidade mudou, a empresa não percebeu e acabou "naufragando".

No clássico artigo de Theodore Levitt, "Miopia em marketing", de 1960, ele descreve o que ocorreu, por exemplo, quando os magna-

AJA COMO UM CAÇADOR

tas das ferrovias dos Estados Unidos observaram que o transporte aéreo começou a ser utilizado. A maior parte daqueles empresários desprezou o fato, como se dissessem: "É, tem esse novo negócio aí dos aviões, mas nosso negócio é ferrovia, não quero saber disso". O resultado óbvio foi a predominância do transporte aéreo.

O grande erro desses empresários foi achar que estavam no *negócio de ferrovias*, quando na verdade seu *negócio* era o *transporte*. Os que não souberam reavaliar seus objetivos sucumbiram e desapareceram.

No mundo atual, em que as mudanças tecnológicas são tão rápidas, casos como esses são cada vez mais frequentes — e dramáticos.

7 Aplique o conceito de "custo irrecuperável"

O "custo irrecuperável" é um conceito do mundo corporativo segundo o qual, em certos casos, o que já foi investido em um projeto ou em uma empresa não deve ser levado em consideração para tomar a decisão de prosseguir ou não nesse projeto.

Por exemplo, se um empresário investiu 1 milhão de reais em um empreendimento que, mesmo depois da implementação de diversas estratégias, não está evoluindo bem, ele tende a investir mais 50 mil ou 100 mil reais porque pensa: "Não posso perder o que já investi". Essa linha de pensamento pode ser desastrosa, porque ele possivelmente continuará investindo em um negócio fadado ao fracasso e a perda no final será muito maior.

Nesse caso, se ele conseguisse pensar em qual decisão seria mais acertada *sem levar em consideração* o 1 milhão de reais investido, provavelmente partiria para outro negócio.

A ESTRATÉGIA DO OLHO DE TIGRE

No caso de um objetivo profissional, se você já investiu muito tempo em uma atividade que não está gerando resultados e já tentou diversas táticas para corrigi-la, talvez seja hora de mudar.

A tendência natural será achar que investir mais tempo ainda reverterá a situação, porque afinal você não quer "perder" todo aquele tempo investido. Nesse caso, utilizando o conceito de "custo irrecuperável", você deve tomar a decisão de continuar ou não sem levar em conta o tempo que já foi investido.

8 Escreva tudo isso

Já falamos, no início do capítulo, como é importante escrever seu objetivo, olhá-lo com frieza e "dialogar" com ele.

Aqui se trata de aplicar a mesma "mágica" para tudo: seus objetivos, seus planos, suas estratégias e suas metas. Ao colocar no papel, você terá uma visão concreta de seu plano e muito mais chances de executá-lo!

Você verá que, ao escrever, aparecerão questões que não havia levado em consideração e algumas delas serão tão relevantes que poderão até fazer você repensar seus objetivos. A mesma regra da especificidade cabe aqui, ou seja, não escreva apenas algo geral, mas sim frases específicas e ricas em detalhes.

Além disso, é importante ter seus objetivos escritos, pois, quando chegar o momento de reavaliá-los, é bem provável que você não se lembre exatamente do que tinha definido e sem esse registro por escrito detalhado não poderá fazer uma avaliação precisa do que foi ou não alcançado.

DEDICAÇÃO NUNCA É DEMAIS!

"O sucesso é uma escada na qual não é possível subir com as mãos no bolso."

Provérbio norte-americano

Dedicação e resiliência fazem parte de qualquer estratégia de sucesso. É o que vemos nos grandes campeões como Pelé, que sempre chegava ao treino meia hora antes, ou Ayrton Senna, que treinava sozinho nos dias de chuva.

É o que se vê também na ficção. Nos filmes da série Rocky, o personagem vivido por Sylvester Stallone treina obsessivamente, com exercícios cada vez mais difíceis, incluindo abdominais de cabeça para baixo e flexões realizadas com um braço só... cenas que influenciaram muita gente, e a mim também, a se matricular em uma academia de boxe!

O problema é saber exatamente de quanta dedicação precisamos.

O escritor norte-americano Malcolm Gladwell fez a conta e decretou: 10 mil horas. A teoria das 10 mil horas, descrita no livro *Fora de série: outliers*, foi elaborada por Gladwell a partir da observação da vida de grandes gênios e pessoas extremamente bem-sucedidas, como Bill Gates e os Beatles.

Gladwell identificou pelo menos um padrão que se repetia em todas as histórias. Antes de comercializar seu primeiro software, Bill Gates tinha dedicado 10 mil horas de prática em programação de computadores. Já os Beatles, antes de serem reconhecidos, tinham tocado 10 mil horas em palcos.

A ESTRATÉGIA DO OLHO DE TIGRE

O próprio autor da teoria reconhece que essas 10 mil horas, isoladamente, não levaram essas pessoas ao sucesso, mas sim um conjunto de circunstâncias do contexto em que elas estavam inseridas. Por exemplo, quando Bill Gates tinha 20 anos, em 1975, pôde aproveitar a revolução que estava acontecendo no mundo dos computadores e, portanto, se tornar o bilionário que conhecemos. Se Bill Gates tivesse nascido cinco anos depois, por exemplo, ele ainda não estaria "pronto" para aproveitar essa oportunidade. Também se ele não tivesse nascido nos Estados Unidos, berço dessa revolução, nada disso teria acontecido para ele.

Contudo, independentemente de todos os outros fatores necessários, Gladwell garante que as 10 mil horas são indispensáveis. Sem elas, não há talento ou circunstância que faça a diferença.

De fato, o *Olho de Tigre* não nasce com a gente. É construído passo a passo — e esse processo também pode demorar 10 mil horas. Aliás, curiosamente, 10 mil é o número total de horas que o tigre "treina", desde que nasce, até se separar da mãe e buscar o próprio território. Tigres partem para sua jornada solitária aos 2 anos. Basta fazer as contas: se reservarem 10 horas por dia para dormir, dois anos significam aproximadamente 10 mil horas de aprendizado e treino (14 horas x 365 dias x 2 = 10.220 horas). Pequenos tigres passam a infância se preparando: ora investindo contra pequenos insetos ou lagartos, ora brincando de luta com seus irmãos e, sobretudo, observando os tigres adultos.

Concordo plenamente com a teoria das 10 mil horas de Gladwell, mas gostaria de ir um pouco além, lembrando que não é *qualquer* dedicação que levará ao sucesso.

Não basta quantidade, é preciso qualidade

De fato, é preciso prestar atenção na qualidade das horas de dedicação e não apenas na sua quantidade.

Nos anos de 1970, nos Estados Unidos, certamente havia outros jovens programadores como Bill Gates, que também estudavam em Harvard e com o mesmo número de horas de programação, mas que não conseguiram ir a lugar nenhum. Da mesma forma, cabe lembrar que havia muitos outros grupos musicais na Inglaterra na época dos Beatles, que se dedicavam tanto quanto eles e nunca atingiram o sucesso.

Em minha vivência como músico, lembro-me de que poderia passar várias horas estudando um instrumento sem conseguir meu objetivo de executar uma obra complexa, se nessas horas de estudo não estivesse absolutamente concentrado e fazendo uso das técnicas mais adequadas para executar aquela obra. Ou seja, muitas vezes duas horas gastas da maneira correta eram mais eficientes que quatro horas gastas de qualquer maneira.

Quando estudávamos no colégio, ou mesmo na faculdade, sempre ouvíamos falar que certo colega não precisava estudar porque "tinha mais facilidade", ou, em outras palavras, era mais "inteligente" que os outros. Mesmo entre irmãos era comum ouvir histórias que davam conta de que, apesar de os dois tirarem boas notas, um era o estudioso e o outro não precisava "nem abrir o livro".

Esse irmão que não precisava abrir o livro não era mais inteligente. Ele simplesmente era mais *eficiente* em sua dedicação — seja por conseguir aproveitar melhor o tempo em aula para absorver as informações, seja por concentrar suas horas de estudo no conteúdo mais relevante.

Portanto, não adianta ser dedicado se o tempo despendido não é realmente aproveitado. Muitas pessoas se enganam contando a dedicação apenas por horas e não por eficiência. No mundo dos negócios é a mesma coisa. Você pode passar horas analisando um plano de negócios e chegar a conclusões totalmente equivocadas porque esse tempo de dedicação não foi usado da melhor maneira possível.

Outra prova de que o número de horas é relativo surgiu em uma pesquisa realizada em 2009, pelo grupo financeiro suíço UBS. Essa pesquisa comparava a produtividade de 73 cidades de diversos países. O estudo revelou que os franceses, mesmo aparecendo como o povo que trabalhava a menor quantidade de horas por ano, eram um dos povos mais produtivos.

Nas cidades pesquisadas, as pessoas trabalhavam em média 1.902 horas por ano. Paris e Lyon, na França, foram as cidades em que as pessoas trabalhavam menos: 1.594 e 1.582 horas por ano, respectivamente. Mesmo trabalhando 16% em horas a menos do que a média dos países, o Produto Interno Bruto (PIB) francês era o 5º maior do mundo.

Dividindo-se o PIB *per capita* francês pelo número de horas trabalhadas, o resultado foi um dos mais altos índices de PIB por hora trabalhada do mundo: 25.10 dólares. O índice norte-americano, por exemplo, era de 24,60 dólares. Se cinquenta centavos de dólar lhe parecer pouco, tente multiplicá-los pelo número de horas no ano e pela população de um país.

Essa pesquisa confirma a hipótese de que não adianta apenas se dedicar várias horas para alcançar sucesso em alguma

AJA COMO UM CAÇADOR

atividade, mas sim ser o mais efetivo possível nessas horas. Obviamente que o cenário ideal é reunir a efetividade com a quantidade de horas dedicadas para, aí sim, alcançar o mais alto grau de excelência.

Prepare-se para os "nãos"

A resiliência é um conceito da física que mede a capacidade de um material de voltar ao seu estado natural depois de ter sido exposto à ação de algum agente deformante. Esse conceito foi adaptado para a psicologia e tem sido adotado no estudo de gestão de pessoas, referindo-se à capacidade que um indivíduo tem de se recuperar após um trauma, uma doença ou mesmo um problema profissional.

Da mesma forma que alguns materiais são naturalmente mais resilientes que outros, as pessoas também são diferentes e apresentam diferentes graus naturais de resiliência. No entanto, ao contrário dos materiais físicos, nossa resiliência pode ser desenvolvida.

Haverá momentos em que você não terá ânimo para seguir em frente — seja porque levou muitos "nãos" de *prospects*, seja porque seu chefe não demonstrou apreciação por você, seja porque os problemas parecem intransponíveis. É por isso que a resiliência aliada à dedicação faz enorme diferença entre sucesso e fracasso.

Não importa o que aconteça, siga sua disciplina de dedicação. Quando um jornalista perguntou para o grande campeão de fisiculturismo, Arnold Schwarzenegger, qual era o segredo para se tornar um campeão, ele disse: "Todos nós temos dias em que não queremos fazer nada; a diferença dos campeões é que eles seguem sua rotina de treinamento mesmo nesses dias".

Note que o ponto aqui não é se tornar invulnerável, mas não se deixar abater pelas quedas. Na minha infância, sempre tive aquários nos quais vivia um peixe que popularmente é chamado de cascudo (cujo nome científico é *Hypostomus sp*). Para mim, o cascudo é um exemplo de resiliência. Não importa o que acontecesse com o PH, a temperatura ou qualquer outro aspecto da água do aquário, enquanto todos os outros peixes acabavam morrendo o cascudo dava um jeito de sobreviver.

Michael Jordan, o maior jogador de basquete de todos os tempos, foi desclassificado do time da faculdade e cansou de ouvir frases como: "Você não é bom o suficiente". Como se sabe, sua resiliência fez a diferença. Mesmo com todo o estrondoso sucesso que ele atingiu, Jordan costuma lembrar que errou muito mais arremessos do que acertou.

Mesmo o tigre, com toda a força e a agilidade, é bem-sucedido em apenas 10% a 30% dos ataques. E, contudo, não perde tempo lamentando a presa que fugiu. Vai logo atrás de outra.

UM MÉTODO PARA TER DEDICAÇÃO E RESILIÊNCIA

1 Invista tempo no planejamento

Quando tiver uma tarefa complexa pela frente, gaste o tempo necessário para planejar como fazer a atividade da maneira mais eficiente. Às vezes, 15 a 20 minutos a mais gastos nessa fase de planejamento podem lhe render horas de eficiência.

AJA COMO UM CAÇADOR

O autor norte-americano Brian Tracy afirma que existe uma fórmula: para cada minuto investido em planejamento, economiza-se 10 minutos na execução. Isso significa um retorno em energia e eficiência de 1000%.

2 Identifique seus períodos áureos

Períodos áureos são aqueles momentos do dia de maior eficiência e que variam de pessoa para pessoa. Pode ser de manhã ou no meio da tarde — cada um tem seu relógio biológico. O fundamental é concentrar seus principais esforços nesses períodos. Encaixar as atividades mais importantes nesses horários vai aumentar muito sua produtividade.

O especialista em produtividade Tony Schwartz, em um artigo publicado na revista *Harvard Business Review* de maio de 2011, afirmou que o melhor horário para realizar nossas tarefas mais importantes é logo de manhã, quando estamos mais descansados e menos distraídos. No mesmo artigo, David Allen, outro especialista, afirma que, para se tornar mais produtivo, tira sonecas de 20 minutos em seu escritório.

Isso pode funcionar para a maioria das pessoas, mas cada indivíduo tem de entender como opera melhor. Eu, por exemplo, se tirar uma soneca à tarde, acordo imprestável e não consigo fazer nada por algumas horas.

3 Siga uma rotina

Depois de algum tempo observando quais os tipos de atividades funcionam melhor para você em cada período, siga uma rotina bem disciplinada respeitando esses períodos.

A ESTRATÉGIA DO OLHO DE TIGRE

Eu, particularmente, preciso verificar os e-mails antes de executar qualquer tarefa. Simplesmente não consigo me focar 100% em qualquer atividade se não checar meus e-mails antes. Nesse caso, mesmo existindo o risco de algo me distrair, o risco de eu não conseguir me concentrar se não checar meus e-mails é muito maior.

O ponto mais importante aqui é ter consciência dessas particularidades para que justamente as horas que você investirá em "dedicação" sejam as mais bem aproveitáveis possíveis. Lembre-se de que o autoconhecimento é o primeiro passo para o caminho do *Olho de Tigre*.

4 Se não está rendendo, mude

Se você está "empacado" em certa atividade, não insista em fazê-la da mesma maneira. Tente mudar de estratégia para a execução da tarefa ou mude de atividade.

Se após essas tentativas ainda não estiver rendendo, uma técnica muito eficiente é simplesmente "dar um tempo", ou seja, vá tomar um café ou ouvir música, retornando depois para a atividade. Insistir em uma tarefa que não está rendendo não é sinal de persistência, mas de ineficiência.

5 Aumente a carga

Aumente gradativamente seu período mais produtivo, forçando-se a manter o mesmo nível de concentração e efetividade por mais tempo. Da mesma maneira que um atleta aumenta a carga de pesos ou a intensidade dos treinamentos, a ideia aqui é que você consiga chegar a ter a maior porcentagem possível de "períodos áureos" durante seu dia.

AJA COMO UM CAÇADOR

Não se deixe levar por uma desculpa confortável de que certas pessoas naturalmente têm maior concentração ou resistência para executar tarefas e que você não é uma dessas pessoas. Da mesma maneira ocorre com alguns atletas que, naturalmente, possuem maior resistência ou força física e isso não lhes garante a vitória em competições. E outros, que *não* têm essa vantagem natural, tornam-se grandes vencedores, pois sabem que precisam de mais dedicação e disciplina.

6 Respeite o tempo

Não caia na falácia de que fazer as coisas mais rapidamente é ser mais eficiente. Muitas vezes, a melhor estratégia é dar tempo ao tempo.

Por exemplo: quando se tratar da definição de estratégias decisivas, o tempo deve ser seu aliado e não seu adversário. Da mesma maneira que existe um ciclo biológico que não pode ser alterado, para as coisas acontecerem na natureza, existe também certo tempo de amadurecimento para uma ideia.

O jornalista Carl Honore, autor do livro *In praise of slowness* (*O elogio da lentidão*), defende a tese de que a cultura obsessiva com rapidez em que vivemos acaba muitas vezes sendo improdutiva.

Um exemplo que ele menciona, que, como pai, particularmente me chamou atenção, é o de uma série de livros lançados nos Estados Unidos com histórias de apenas 1 minuto para os pais "perderem" menos tempo ao ler para os filhos antes de dormir. Ora, ler histórias para um filho antes de dormir é uma forma de aprofundar os vínculos da relação pai-filho. "Resolver" a tarefa em 1 minuto certamente não servirá a esse propósito.

Um tigre sabe bem que às vezes é necessário esperar muito tempo para conseguir o melhor ângulo de ataque para abater a presa.

7 Treine a resiliência

Para desenvolver resiliência de maneira prática, a melhor alternativa é se envolver em atividades que façam que você tenha de deixar a zona de conforto. O medo e muitas vezes a frustração de sair da sua zona de conforto ajudam a desenvolver sua autoconfiança. Afinal, do mesmo modo que você superou esse medo e essa frustração também superará qualquer desafio e, portanto, seu tempo de "queda e recuperação" quando exposto a problemas ou dificuldades será mais rápido.

Não precisa fazer algo radical como pular de paraquedas ou entrar em uma caverna cheia de morcegos. Para algumas pessoas, simplesmente falar outro idioma é algo que as faz sair da zona de conforto, para outros, experimentar *sushi*, e assim por diante.

Capítulo 4

Seja melhor que seus concorrentes

Agir como um caçador incansável e resiliente é fundamental para perseguir um objetivo e alcançá-lo. No entanto, não se pode esquecer de que preservar o que foi conquistado é tão importante quanto conquistar algo.

Na vida selvagem, os tigres dedicam boa parte de seu tempo e sua energia para defender seu território. Como as tentativas de invasão são frequentes, a competição é permanente e impiedosa. O tigre precisa ser melhor que seus rivais; caso contrário, perderá o território.

Mais uma vez, o mundo corporativo espelha o mundo natural. Para se destacar e ser "dono" de um território, o profissional tem de ser melhor que os concorrentes. Para isso, ter criatividade na hora de resolver problemas e "faro" para identificar oportunidades faz toda a diferença para a carreira e para o sucesso no mundo dos negócios.

SEJA CRIATIVO: RESOLVA PROBLEMAS

"É preferível ter uma porção de ideias, e algumas delas se mostrarem erradas, a sempre estar certo por nunca tê-las."
Edward de Bono

Você já deve ter ouvido inúmeras vezes frases assim: "Não sou criativo, sou analista. Esse negócio de criatividade é melhor deixar para o pessoal do marketing e da publicidade". Ainda hoje, no mundo corporativo, muitos acreditam que a criatividade seja uma habilidade requerida apenas na hora de divulgar um produto ou serviço, pois nesse momento seria necessário agir como "artista", criando anúncios, escrevendo *slogans* e compondo *jingles*.

Na "empresa" da selva, os tigres são criativos porque isso lhes traz vantagens competitivas e eles usam sua criatividade para transpor obstáculos. Uma caçada é uma sequência de problemas ora conhecidos, ora inesperados, pois nunca se sabe se haverá um tronco interrompendo a trilha que ontem estava livre ou quando um bando de macacos fará ruídos que poderão alertar e afugentar a presa. Se o problema for conhecido, o tigre usará a experiência da melhor forma que encontrar; se for novo, ele usará sua perspicácia e sua inteligência para vencer o obstáculo. Em ambos os casos, terá de ser criativo.

Na minha visão, criatividade no mundo profissional deveria ter justamente essa definição: a capacidade de apresentar soluções alternativas para problemas conhecidos e soluções inovadoras para novos problemas.

SEJA MELHOR QUE SEUS CONCORRENTES

É claro que essa qualidade não é restrita aos artistas ou ao pessoal do marketing. Da mesma forma, é engano considerar a criatividade como um talento nato, que você tem ou não tem. A criatividade é uma competência que deve ser exigida de qualquer profissional e que pode ser desenvolvida por qualquer pessoa, não apenas por aqueles que já têm essa característica, seja por herança genética ou adquirida durante sua trajetória de vida.

O que distingue o profissional criativo dos outros é sua atitude em relação aos problemas. O criativo direciona sua energia para a solução. Não fica paralisado, lamentando o problema como se desejasse que ele não existisse. Como dizia o glorioso e irreverente Dadá Maravilha, o quinto maior artilheiro da história do futebol brasileiro, famoso por suas tiradas engraçadas e completamente imodestas: "Para toda problemática existe uma solucionática".

A simplicidade pode ser a solução

Quem tem o *Olho de Tigre* está sempre atento, em busca de novas soluções para os problemas que enfrenta na vida profissional. Mais ainda, essas pessoas nem se referem a essas situações como "problemas" e sim "desafios" ou simplesmente "situações". Todo processo pode ser aperfeiçoado, em qualquer área ou divisão de uma empresa. Às vezes, esse aprimoramento vem da forma menos esperada e da maneira mais simples.

Há uma história que ficou famosa na área de recursos humanos e que ouvi pela primeira vez do filósofo e escritor Mario Sérgio Cortella.

A ESTRATÉGIA DO OLHO DE TIGRE

Um grande fabricante de pasta de dentes estava enfrentando um problema em sua linha de produção: algumas caixas vazias, sem o produto, passavam para a seção seguinte e acabavam indo parar no mercado e sendo adquiridas pelo consumidor. Embora fossem poucas caixinhas, são óbvios os prejuízos que podem ocorrer com os consumidores e com a imagem da empresa.

Dois anos e 8 milhões de dólares depois, os engenheiros designados para resolver o problema chegaram a uma solução. Esta consistia em um sofisticado mecanismo que media o peso da caixinha e ao detectar o peso inferior ao padrão e, portanto a ausência do tubo, interrompia a produção e acionava um braço hidráulico que removia a caixinha vazia. O problema de fato fora resolvido e as reclamações cessaram.

Contudo, um dia, quando um diretor foi até o chão de fábrica, percebeu que a máquina estava desligada. Aliás, segundo informaram os operários, permanecia desligada havia meses.

A explicação do operário foi surpreendente:

— A gente nunca liga isso aí. Dá muita dor de cabeça e atrapalha o cronograma cada vez que a produção para só por causa de uma caixinha vazia.

— Então, como você explica que não aparecem mais caixinhas vazias?

— Bem, a gente comprou um ventilador de 80 reais e colocou bem aqui, ao lado da esteira, de forma que, se a caixinha estiver vazia, o vento a empurra para fora da linha de produção!

SEJA MELHOR QUE SEUS CONCORRENTES

Esse caso mostra que criatividade é algo que pode e deve se manifestar não só em qualquer nível hierárquico de uma empresa, mas também em qualquer área. E que ser criativo não significa ser complexo. Muitas vezes, na simplicidade está a melhor solução.

No exemplo a seguir, quero mostrar uma maneira criativa de lidar com números.

Empresas que trabalham com transporte de carga sempre correm o risco de um caminhão ser roubado em uma estrada qualquer do Brasil. O lógico, portanto, seria que o caminhão tivesse seguro contra roubo e que esse custo fosse acrescentado de alguma forma ao preço do serviço. O que você faria se tivesse uma frota de 100 caminhões? Faria seguro contra roubo para todos eles? Não é o que as empresas de transporte fazem. Quando sua frota é grande o suficiente, a melhor solução para esse problema, digo, para essa situação, é não fazer nenhum seguro!

Parece um paradoxo, mas não é. Vamos supor, nesse exercício, que o custo do seguro represente 5% do valor do caminhão e que, nos últimos anos, a média de roubos de veículos de carga seja de 1% (na verdade, o índice de sinistros em veículos de carga no Brasil é de 0,7% dos veículos segurados, mas vamos facilitar os cálculos). Se você tem 100 caminhões, vai gastar por ano o equivalente a 5 caminhões para pagar o seguro de toda a frota. Se não gastar nenhum centavo, vai perder um caminhão por roubo e *economizar o equivalente ao preço de 4 caminhões*.

Esse raciocínio é completamente aplicável se você levar em conta que seus caminhões andam cada um com sua carga e destino próprio e que, portanto, estão sujeitos a roubo um de cada vez. Raramente se vê comboios com muitos caminhões da mesma empresa transportando a mesma carga. Além disso, é preciso ser muito azarado para ter um percentual de roubos 400% acima da média nacional.

O paradoxo dos seguros de caminhões ilustra bem o que é apresentar uma solução criativa para algo que teoricamente não envolveria nenhuma criatividade. Não se sabe quem primeiro fez essa conta, mas provavelmente não foi ninguém da área de publicidade.

Em uma competição entre turmas da qual participei quando cursava meu MBA, a tarefa era apresentar uma solução para a questão do extravio de malas com o qual as companhias aéreas têm de lidar e que causa tanta dor de cabeça aos passageiros e às empresas. Alguns grupos apresentaram soluções mirabolantes que envolviam dispositivos de GPS em cada mala, para rastrear seu paradeiro, e assim por diante. O grupo vencedor apresentou uma solução mais simples: não fazer nada em relação às malas extraviadas, mas melhorar o ressarcimento dos prejuízos e o tratamento aos passageiros que eventualmente passassem por esse problema. O grupo sustentou sua estratégia, mostrando que a porcentagem de malas perdidas era tão pequena que mesmo se o valor do ressarcimento aos passageiros vítimas dessa situação fosse dobrado, ainda assim seria muito mais econômico que qualquer investimento adicional para se extinguir o extravio de malas.

A criatividade deve ser estimulada em toda a companhia, do presidente aos operários. Vendedores, engenheiros, advogados, gestores e colaboradores — todos podem ser criativos em suas áreas. Sem esquecer, naturalmente, do "pessoal do marketing"!

Contudo, existe, sim, uma diferença fundamental entre a criatividade dos artistas e a do mundo corporativo: a maneira como

SEJA MELHOR QUE SEUS CONCORRENTES

medimos os resultados dessa criatividade. Uma obra de arte pode ter inúmeras qualidades e, no entanto, não ser reconhecida naquele momento ou mesmo no século em que foi concebida. Há muitos exemplos desse tipo entre os gênios da música, da pintura, da literatura ou mesmo na história das invenções.

Já nas empresas, o desempenho dos profissionais criativos é avaliado em números, ou seja, pela receita ou pela economia que suas soluções são capazes de produzir.

Em 1999, um grupo de executivos e acadêmicos especializados no desenvolvimento de novos produtos, liderados por Greg Stevens, presidente da empresa WinOvations, sediada em Miami, publicou extensa pesquisa para medir se a criatividade de fato é lucrativa.

A pesquisa consistiu em estudar o desempenho de 69 analistas de uma empresa química. A esses analistas cabia a função de identificar oportunidades de mercado e propor o desenvolvimento de novos produtos. A pesquisa durou dez anos e analisou 267 projetos.

O grupo de analistas estudado teve seu grau de criatividade previamente avaliado segundo o Índice de Criatividade MBTI (que é uma marca registrada da Consulting Psychologists Press, de Palo Alto, Califórnia). O MBTI é um teste elaborado especialmente com essa finalidade. Então, os profissionais foram classificados em dois grupos: um acima da média e outro abaixo, ambos com praticamente o mesmo número de indivíduos.

O resultado foi revelador: analistas com índices de criatividade do MBTI acima da média identificavam oportunidades que se convertiam em lucratividade 12 a 13 vezes maior do que aqueles analistas com índices abaixo da média. Além disso, essa lucratividade se realizava 9 vezes mais rapidamente!

Considerando que os dois grupos foram rigorosamente treinados com os mesmos padrões e a mesma metodologia de análise de projetos, a diferença estava mesmo no grau de criatividade.

O estudo adverte que é preciso cuidado com "a aplicação dessas ideias de forma demasiadamente simplista. Há muitos exemplos de fracassos no desenvolvimento de negócios que envolveram muita criatividade e inventividade, mas aos quais faltou disciplina na hora da execução".

Portanto, a grande conclusão do estudo foi que a criatividade tem de estar necessariamente associada à disciplina na aplicação de métodos para o desenvolvimento de novos produtos. O título da pesquisa, que expressa sua conclusão, é "Creativity + Business Discipline = Higher Profits Faster from New Product Development" ("Criatividade + Disciplina = Lucratividade Maior e Mais Rápida no Desenvolvimento de Novos Produtos").

De fato, lançar produtos requer método e muita disciplina, uma vez que existe um longo caminho entre uma ideia e o novo produto na prateleira das lojas. Nesse mesmo estudo, os pesquisadores mostraram que existe um ciclo com sete fases antes de uma ideia ter sucesso comercial. "Pular" fases pode representar o fracasso. Veja quais são elas:

Fase 1: geração verbal de ideias.

Fase 2: elaboração e exploração das possibilidades da ideia.

Fase 3: análise preliminar e anteprojeto.

Fase 4: análise detalhada e início do projeto de desenvolvimento.

Fase 5: desenvolvimento do produto.

Fase 6: lançamento no mercado.

Fase 7: sucesso comercial.

O mais impressionante vem agora: o número de ideias que devem ser geradas para que uma delas resulte em lucro. Essa relação está expressa no que foi chamado de "Curva Universal de Sucesso", aplicada ao lançamento de novos produtos, segundo o que foi observado por 40 anos nos Estados Unidos (de 1957 a 1997). Veja na Figura 1:

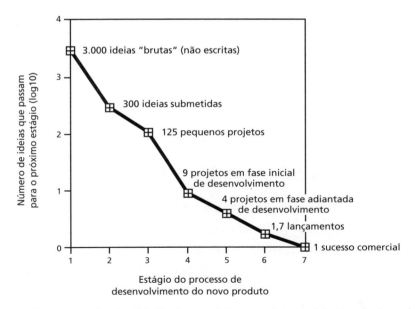

Figura 1. Curva "universal" de sucesso para produtos substancialmente novos, com taxas de sucesso de lançamento que permaneceram constantes por, pelo menos, 40 anos.

O resultado está no gráfico: são necessárias 3 mil ideias para que apenas uma tenha sucesso comercial!

Ou seja, de 3 mil ideias que surgem livremente nos *brainstorms*, 300 são apresentadas, 125 viram projetos, 9 começam a ser desenvolvidas, 4 são desenvolvidas até o fim, 1,7 são lançadas e apenas 1 tem sucesso.

Portanto, se você tem uma ideia brilhante e já sonha com sucesso, é melhor ter dez ou vinte, antes mesmo de apresentar seu projeto. Isso significa muita disciplina e dedicação, *além* da criatividade.

Apesar de ter sido publicado há mais de catorze anos, esse artigo ainda é relevante. Tanto que outro artigo dos mesmos pesquisadores — "Piloting the Rocket of Radical Innovation" ("Pilotando o Foguete da Inovação Radical"), publicado em 2003, e que também usava exatamente os mesmos dados destacados anteriormente — foi reconhecido pela *Emerald Management Reviews* como um dos 50 melhores artigos de 2003, entre 15 mil artigos analisados.

A CRIATIVIDADE NO AMBIENTE PROFISSIONAL

Um estudo feito entre gestores e líderes de diversas áreas mostrou que a imensa maioria dos entrevistados concorda que a *criatividade* pode melhorar a *qualidade*. O estudo, realizado em Curitiba (cidade que por muitos é considerada um "resumo mercadológico" do Brasil), foi coordenado por Sonia Regina Hierro Parolin, na Universidade Federal do Rio Grande do Sul.

SEJA MELHOR QUE SEUS CONCORRENTES

Eis as respostas dos entrevistados sobre a importância da criatividade nas empresas:

- 96% concordaram que a criatividade pode melhorar a qualidade.

- 88% concordaram que há lugar para atitudes inovadoras nas empresas.

- 86% concordaram que a inovação depende da criatividade.

- 84% concordaram que a criatividade está presente em todas as áreas de atuação do ser humano.

- 82% admitiram acreditar que a criatividade na empresa serve para minimizar o estresse individual e do grupo.

- 77% concordaram que as ideias criativas nem sempre são inéditas.

À primeira vista, parece que a criatividade é um valor sempre estimulado no mundo corporativo. Contudo, atenção: esse estudo apurou a opinião dos executivos e não sua prática. Na verdade, nem sempre as ideias criativas são bem-vindas nas empresas pelos seguintes motivos:

a. Ideias novas representam riscos.

b. Mudanças exigem que as empresas e as pessoas saiam da zona de conforto.

c. O cérebro humano é naturalmente conservador.

a. Ideias novas representam riscos

Nenhum empresário gosta de colocar em risco seu patrimônio ou a posição de seus produtos no mercado só para melhorar um produto ou aumentar a eficiência de um processo. Em geral, as ideias novas só são estimuladas quando o patrimônio da empresa *já está* em risco. Se as vendas caem, por exemplo, todos os alarmes soam. E então os gestores saem como loucos à caça de ideias para recuperar a receita ou diminuir custos.

Momentos de crise, de fato, podem ser um bom estímulo para a criatividade, mas também formam um ambiente propício para erros que, nessas situações, podem ser fatais. Se a cultura da inovação estivesse impregnada na empresa, as soluções viriam mais rapidamente, até porque já haveria um "estoque" delas disponível para ser analisado e os eventuais erros que, diga-se de passagem, fazem parte de qualquer processo criativo seriam absorvidos mais facilmente. O melhor momento para ter ideias de como aumentar as vendas é quando elas estão em alta, pois a companhia terá a tranquilidade de experimentá-las em situações isoladas e controladas. No desespero da crise, muitas vezes não há tempo para testes: é tudo ou nada.

b. Mudanças exigem que as empresas e as pessoas saiam da zona de conforto

Muitas empresas e também profissionais têm como filosofia não correr riscos, pois acreditam que com essa atitude alcançarão o sucesso de maneira gradativa, mesmo que demore mais tempo. Ou seja, nunca saem da zona de conforto.

É óbvio que não podemos ser aventureiros e irresponsáveis com relação aos riscos que assumimos, mas é preciso ter em mente

SEJA MELHOR QUE SEUS CONCORRENTES

que às vezes não correr riscos pode ser a atitude mais arriscada, pois quem fica parado tem mais chances de ser atropelado pela concorrência.

Quem tem o *Olho de Tigre* nunca está satisfeito com sua situação atual. Persegue sempre objetivos mais altos e impõe a si mesmo metas cada vez mais ousadas. Faz como o atleta de salto em altura que toda vez aumenta a altura da barra e encara sua posição no mercado como o território de um tigre: algo que precisa ser defendido com garras e dentes.

c. O cérebro humano é naturalmente conservador

A grande dificuldade de sair da zona de conforto é lutar contra uma característica natural do nosso cérebro: uma vez que ele aprende alguma coisa, tende a ajustar qualquer informação nova aos padrões que já foram estabelecidos.

Esse conservadorismo é muito útil na vida natural, pois tem uma função importante na sobrevivência. Quando uma gazela vê um tigre, o que chega ao seu olho são apenas listas se movendo, pois a retina, em si, não "pensa". Quem "transforma" essas listas que se movimentam em um tigre é seu cérebro, baseado na memória, na experiência ou mesmo em padrões cerebrais herdados pela seleção natural. O resultado é que, se uma gazela vê listas se movendo, sai correndo imediatamente.

O problema é que as listas poderiam ser apenas um novo e nutritivo tipo de capim, balançando ao vento. Nesse caso, ela teria perdido uma oportunidade de se alimentar.

No nosso caso, dos humanos, a ciência tem estudado a fundo esse mecanismo em que "completamos" as informações que nossos sentidos recebem. O neurocientista indiano V. S. Ramachandran, em seu livro *Fantasmas no cérebro*, mostra inúmeros relatos de pessoas com lesões na retina que "preenchem" a falha com elementos visuais da memória. Alguns casos são bizarros, pois parecem alucinações. A pessoa olha para o chão e vê dezenas de sapatos, ou olha para o lado e vê personagens de desenhos animados, pois o cérebro humano sempre completa a informação com o que tem na memória.

Lembro-me de um treinamento do qual participei quando estava nos Estados Unidos em que o instrutor mostrava cartas de baralho para os participantes de maneira bem rápida e pedia que anotássemos qual carta estávamos vendo: nove de paus, três de ouros, e assim por diante. Após algumas vezes realizando o mesmo procedimento, o instrutor, sem avisar, mostrou uma carta que não existia em nenhum baralho, mas que era semelhante a todas as outras (era uma mistura de naipes). Noventa por cento dos participantes registraram aquela carta como qualquer outra do baralho, ou seja, como viram rapidamente aquela imagem, o cérebro da maioria das pessoas procurou encaixá-la em algo conhecido.

O mesmo acontece quando, no mundo corporativo, alguém apresenta uma ideia nova. A tendência é tentar comparar a ideia com a situação existente e com os padrões conhecidos, encaixando-a em algo conhecido. Às vezes, não conseguimos sequer ouvir o que a pessoa realmente está propondo, pois, assim como a gazela, em vez de enxergar um capim nutritivo, só conseguimos ver uma fera devoradora.

Ou seja, em vez de uma oportunidade para melhorar os resultados, só conseguimos ver os riscos da inovação. Por isso, exercer e aprimorar a criatividade são vantagens que devem ser cultivadas e praticadas.

SEJA MELHOR QUE SEUS CONCORRENTES

UM MÉTODO PARA EXERCITAR SUA CRIATIVIDADE

1 Não apresente ideias, mostre resultados

Já mostramos como as empresas e as pessoas podem ser resistentes a inovações. O principal motivo para a resistência é o fato de mudanças de rotina exigirem esforço de adaptação.

Quando mudam o sistema operacional dos computadores, os primeiros dias ou semanas são de extremo desconforto. Onde foi parar o menu? O que fizeram com aquele comando que estava bem ali? É claro que o desconforto e a irritação normalmente aumentam proporcionalmente à idade do usuário, pois, quanto mais experientes ficamos, maior é a tendência de achar que não precisamos aprender mais nada.

Cuidado! Crianças e adolescentes, que já nasceram na era dos *games*, acham até divertido ficar procurando os atalhos do novo sistema operacional. O resultado é que, como esses jovens estão *abertos para as mudanças*, mais cedo aproveitarão as vantagens das alterações de navegação dos novos softwares não só dos computadores, mas também das alterações dos "softwares" da vida.

No ambiente profissional, é comum existir resistência a mudanças de processos. Frases como "por aqui, nós fazemos desse jeito" ou "estamos há muitos anos nesse negócio e sempre fomos bem-sucedidos dessa maneira" são comuns. Por isso, na hora de apresentar sua nova ideia e defendê-la, comece pelos resultados e nunca pelos processos. Se sua ideia pode aumentar em 20% a receita de vendas de certo produto, foque sua apresentação nos benefícios que virão com o aumento da receita.

A ESTRATÉGIA DO OLHO DE TIGRE

Se a primeira impressão é a que fica, não deixe que ela seja o desconforto de mudar algo, mas sim os benefícios que sua ideia trará.

2 Exercite a concentração

Abrir a mente, esvaziando o cérebro das distrações, é um dos exercícios mais eficazes para resolver situações de forma criativa. Usei muito essa técnica quando era músico e transportei para o mundo corporativo com grande eficácia. O exercício é simples de explicar, mas não tão fácil de executar. Exige treino para ser bem realizado.

a) Quando tiver uma situação complexa para resolver, transforme-a em uma pergunta e reserve um período de tempo entre 15 a 30 minutos para se concentrar unicamente nela.

b) Permaneça em silêncio, em um ambiente em que não toque o telefone ou haja qualquer tipo de interrupção. Se no escritório for impossível, faça em casa ou onde for melhor. Pode colocar uma música bem calma, de preferência música clássica ou aquelas músicas hipnóticas usadas em meditação.

c) Procure realmente não fazer nada, a não ser deixar a pergunta que você quer responder "passeando" pela sua mente. Outros pensamentos vão invadir sua mente: os investimentos, o que vai ter para o jantar, a final do campeonato — afaste todos eles e deixe espaço só para a pergunta principal.

d) Cuide para que a pergunta comande a cena. Quando estiver concentrado e relaxado, as respostas começarão a aparecer. Deixe-as entrar livremente, sem preconceitos.

No final do exercício, você terá respostas novas nas quais ainda não tinha pensado. Muito provavelmente uma delas será a solução.

SEJA MELHOR QUE SEUS CONCORRENTES

3. Pratique *mindstorm*: o exercício das 20 soluções

Um dos pioneiros mundiais em livros e palestras de motivação e desenvolvimento profissional foi o norte-americano Earl Nightingale, falecido em 1989, depois de ter escrito inúmeros *best-sellers*. Ele criou um exercício, tão simples e "difícil" quanto o anterior, que é muito eficaz para estimular a criatividade na resolução de problemas e a que chamou de *mindstorm* — tempestade mental. Diferentemente do conhecido *brainstorm*, que se realiza discutindo ideias com outras pessoas, o *mindstorm* é feito individualmente.

O *mindstorm* consiste em tomar uma folha de papel e escrever no topo a pergunta que você quer responder. Então, deve-se escrever nada menos que 20 soluções diferentes para o problema. (Na verdade, Nightingale concebeu esse exercício como 20 perguntas que cercassem o problema sob diversos ângulos. Meu método é relacionar diretamente 20 soluções. As perguntas virão depois, para testar cada uma das hipóteses.)

Experimente. Você vai reparar que as primeiras cinco soluções virão com facilidade. A partir da décima, começarão a exigir esforço extra, e a vigésima parecerá quase impossível.

Mesmo que você ache que resolveu a situação na décima solução, é fundamental continuar o exercício até o final. Pode ser que a décima solução não sobreviva a uma análise posterior mais apurada. Nesse caso, será bom ter mais dez soluções no "estoque".

Veja um exemplo prático da aplicação do exercício das 20 soluções. Mantendo o tema do exemplo da pasta de dentes, imaginei o exercício com esse mesmo produto, mas em relação ao desafio de aumentar a receita de vendas do produto. Para ser mais didático, organizei as 20 soluções de acordo com o famoso princípio dos 4Ps

A ESTRATÉGIA DO OLHO DE TIGRE

(Preço, Produto, Praça e Promoção), mas, na verdade, as ideias não vieram nessa ordem.

Pergunta: Como aumentar a receita de vendas da marca X de pasta de dentes em 10% em um período de seis meses, mantendo a margem de rentabilidade?

Soluções:

A) Preço:

1. **Simplesmente aumentar o preço.** Provavelmente o volume de vendas cairá, mas, mesmo com a queda de volume, dependendo da relação entre o aumento de preço e a queda de volume, poderíamos aumentar a receita mantendo ou até mesmo aumentando a rentabilidade.

2. **Aumentar o preço, mas agregar valor extrínseco ao produto.** Por exemplo, incluir algo a mais no pacote como uma miniescova de viagem, um miniespelho ou algum outro brinde do gênero.

3. **Aumentar o preço, agregando valor intrínseco ao produto.** Por exemplo, adicionar à fórmula vitaminas ou ingredientes especiais.

4. **Diminuir o preço permanentemente.** Normalmente, quando se abaixa o preço de um produto se vende mais e, portanto, se a relação entre o desconto e o aumento de volume for favorável, aumentaríamos a receita.

5. **Diminuir o preço temporariamente.** A sensação de que se o consumidor não aproveitar logo essa queda de preço perderá

SEJA MELHOR QUE SEUS CONCORRENTES

a chance de comprar a um preço mais baixo pode causar um efeito mais contundente no aumento das vendas. O aumento de vendas só será permanente se provocar degustação do produto e agregar novos consumidores.

B) Produto:

6. **Criar uma versão de embalagem tipo família, com mais gramas de pasta e, portanto, mais cara.** Em geral, aumentar 50% do conteúdo do produto não aumenta em 50% seu custo, uma vez que se economiza no processo de enchimento.

7. **Renovar a embalagem do produto.** Essa o "pessoal do marketing" vai ter de resolver...

8. **Renovar a fórmula do produto.** Aqui a bola está com o "pessoal de pesquisa e desenvolvimento".

9. **Criar *multipacks* com descontos.** Por exemplo, criar uma embalagem com cinco tubos em que o consumidor só paga quatro.

10. **Criar algum mecanismo para facilitar o esvaziamento do tubo de pasta e, por consequência, aumentar o consumo.** Por exemplo, aumentar o diâmetro do tubo de pasta ou colocar um dispositivo do tipo manivela que expulsa a pasta mais facilmente.

C) Praça/distribuição:

11. **Aumentar a distribuição por canais alternativos.** Por exemplo, fazer parcerias com redes de postos de gasolina para vender o creme nas lojas de conveniência ou disponibilizá-lo em sites de compra na internet.

A ESTRATÉGIA DO OLHO DE TIGRE

12. Negociar volumes de compra maiores com os atuais distribuidores, permitindo, em troca, condições especiais de retorno do produto.

13. Criar canais diretos de distribuição como a venda porta a porta.

D) Promoção:

14. Aumentar o investimento em publicidade. É possível manter a rentabilidade, desde que a relação entre o aumento de publicidade e o aumento de vendas seja favorável.

15. Diminuir o investimento em publicidade e aplicar o valor economizado em descontos no produto. Por exemplo, se a empresa gastava 100 mil reais por mês em propaganda e agora passar a gastar 70 mil reais, ela poderia descontar 30 mil reais do preço do produto. Se a demanda for mais sensível ao preço do que ao efeito da publicidade, as receitas poderão subir com o maior volume de vendas e a rentabilidade será mantida pela economia gerada pelo gasto menor em publicidade.

16. Mudar o conteúdo da mensagem publicitária. Por exemplo, promover o uso mais frequente da pasta. Pode-se financiar um estudo que mostre que as pessoas não escovam os dentes o número de vezes suficiente e, portanto, precisam escovar os dentes mais vezes, consumindo, consequentemente, mais pasta de dentes. Ou, ainda, reposicionar a marca focando em um atributo mais importante para os consumidores *target*. Por exemplo, talvez para o *target* de consumidores dessa pasta a capacidade de branqueamento seja mais importante que a capacidade de proteger contra cáries.

SEJA MELHOR QUE SEUS CONCORRENTES

17. Colocar promotores para oferecer amostras do produto nos principais distribuidores.

E) Outros:

18. Aumentar a comissão/o bônus do time de vendas para esse produto.

19. Criar um prêmio especial somente para os vendedores que ultrapassarem as metas.

20. Criar um programa interno para os funcionários comprarem o produto com descontos especiais.

Se você pertencer à indústria de produtos de higiene, provavelmente encontrará algumas soluções já testadas e comprovadamente inviáveis nesse ramo específico, mas é importante relacionar as soluções sem preconceitos porque é aí que surgem as verdadeiras inovações.

Após a listagem das 20 soluções, vem a fase da validação. Nessa etapa, você deverá fazer uma análise minuciosa de cada uma delas e ir eliminando as que se provarem realmente inviáveis. Usando a solução número 3 como exemplo, pode-se detectar a existência de restrição legal quanto a adição de vitaminas ao creme dental ou simplesmente o custo pode ser proibitivo. Da mesma maneira, você poderá descobrir que não há restrições legais e o custo adicional é marginal e que, portanto, essa é, sim, uma possível solução. O importante aqui é não assumir aquela postura de que "se isso fosse possível, alguém já teria feito".

Por muitos anos o tratamento de úlceras nunca levou em consideração que poderia existir uma bactéria causadora da doença porque se partia da premissa de que nenhum ser conseguiria sobreviver no estômago humano por causa dos ácidos gástricos. Em 2005, os cientistas australianos Barry J. Marshall e J. Robin Warren ganharam o prêmio Nobel de medicina porque, ao estudar a doença deixando essa premissa de lado, descobriram que existia uma bactéria que conseguia, sim, viver no estômago humano e era a causadora de diversos tipos de úlcera.

Voltando ao nosso exercício, a solução 13 (canais diretos de venda, como porta a porta), por exemplo, pode parecer absurda ou ser impensável para um produto como pasta de dentes. Todavia, se é viável para cosméticos e outros produtos, por que não considerar a viabilidade para pastas de dentes?

Um dos paradigmas da inovação é o fato de que muitas das grandes mudanças ocorridas em produtos e empresas foram sugeridas por pessoas de fora da indústria em questão. O motivo é que, justamente por estarem fora, fazem perguntas e estabelecem hipóteses sem ideias preconcebidas. O objetivo da simulação foi um só: provar que é possível, sim, achar 20 soluções diferentes para um único desafio. Lembre-se de que o propósito do exercício é gerar ideias sem preconceito. A análise da viabilidade ou não da ideia virá posteriormente.

APROVEITE AS OPORTUNIDADES. TODAS!

> *"Aprenda a ouvir. Uma oportunidade pode estar batendo à sua porta muito suavemente."*
>
> *Anônimo*

Quer saber como transformar 50 mil dólares em 50 bilhões de dólares? Aproveite as oportunidades. Todas! Vou falar aqui sobre como reconhecê-las para não perdê-las.

SEJA MELHOR QUE SEUS CONCORRENTES

Alguém que soube muito bem aproveitar uma oportunidade foi o fundador da Microsoft. Ele "inventou" uma fórmula para transformar 50 mil dólares em 50 bilhões de dólares. Seu nome é William Gates III, mais conhecido como Bill Gates.

Em 1981, a jovem Microsoft, de Bill Gates e Paul Allen, tinha uma tarefa pela frente: desenvolver um sistema operacional que permitisse aos usuários se comunicar com os primeiros computadores pessoais fabricados pela IBM.

A Apple já havia lançado o primeiro MacIntosh quatro anos antes e fazia muito sucesso, mas era uma máquina "fechada", ou seja, não permitia que os usuários trocassem componentes. Um PC do tipo IBM, como se sabe, pode ser montado em casa, comprando peças em lojas de eletrônicos ou pela internet. Em informática, isso significa ter uma "arquitetura aberta".

Entretanto, o computador criado pela IBM não tinha um sistema operacional, ou seja, um programa que permitisse ao usuário ou a outros programas se comunicarem com a máquina. Antes de lançá-lo no mercado, a IBM pediu a algumas empresas de software que criassem esse sistema para ser vendido junto com o seu PC.

É aí que Bill Gates entra na história. Ele já antevia que, no futuro, os PCs similares ao da IBM prevaleceriam, justamente por sua arquitetura aberta. Então decidiu entrar na concorrência, já com uma estratégia em mente: venderia uma licença do sistema à IBM por um preço bem barato e abriria mão de participação nas vendas. Se o seu sistema operacional se tornasse padrão, aí sim ganharia dinheiro vendendo os programas que o usuário final usaria, como processadores de texto ou planilhas compatíveis com o "seu" sistema operacional. Para a IBM, era um negócio da China. Para cada comprador, representaria uma economia de cerca de 500 dólares em dinheiro atual.

Gates entrou na concorrência, mas com um pequeno detalhe: ele simplesmente não tinha um sistema operacional para entregar!

O futuro bilionário viu-se perante duas opções: escrever o programa do zero ou comprar algo pronto. Na primeira opção, poderia entrar para a história como o criador do primeiro sistema operacional para computadores pessoais e ficaria bastante envaidecido com o título. Na segunda opção, poderia entrar para a história como o primeiro e maior bilionário da era dos computadores pessoais. Como todo mundo sabe, Bill Gates optou pela segunda alternativa. O momento decisivo foi quando Gates, deixando a vaidade de lado, descobriu que um jovem programador de Seattle, Tim Paterson, tinha escrito um "programinha" para testar computadores e ofereceu a ele 50 mil dólares pelo código. O programa foi batizado de QDOS pelo próprio autor. QDOS, acreditem, é a sigla para Quick and Dirty Operating System (Sistema Operacional Rápido e Sujo).

Uma das versões dessa história relata que o rapaz não acreditou quando viu Paul Allen na sua frente, carregando uma maleta com o dinheiro. Com o queixo caído, teria perguntado a Allen:

— Mas por que vocês querem pagar todo esse dinheiro por isso aqui? É só um programa, e nem é dos melhores!

Allen, obviamente, não respondeu o motivo. Apenas perguntou:

— Bem, você quer os 50 mil dólares ou não quer?

SEJA MELHOR QUE SEUS CONCORRENTES

O programador teve certeza de que eles estavam loucos e aceitou o dinheiro rapidamente, antes que mudassem de ideia.

Tim Paterson viu no próprio programa apenas "isso aqui". Bill Gates viu naquele mesmo programa a maior oportunidade de sua vida – e uma montanha colossal de dólares no futuro. Com aquele pequeno programa, Gates pôde entrar na concorrência da IBM e realizar sua estratégia que, uma década depois, o tornaria bilionário.

Essa é a diferença de quem tem o *Olho de Tigre*: não menospreza as oportunidades, mesmo que pareçam menores.

IDENTIFIQUE AS OPORTUNIDADES

Para saber se uma situação é uma oportunidade que pode alavancar sua carreira ou seus negócios, é simples: verifique se essa situação leva você para mais perto do seu objetivo.

Às vezes, uma situação parece mais vantajosa no momento, mas leva para outra direção. As consequências podem só aparecer muito tempo depois e aí talvez seja tarde demais.

Imagine que um tigre tenha tido pouca sorte em inúmeras investidas e esteja com muita fome a ponto de ficar debilitado. De repente, aparece um pequeno roedor, distraído, ao alcance de suas garras. O tigre sabe que essa presa não será suficiente como refeição, mas certamente, ao contrário de muitos de nós, não vai ficar debatendo consigo mesmo se "compensa" ou "não compensa" o seu esforço. Vai aproveitar a oportunidade sem pestanejar, pois, abatendo o pequeno roedor, ganhará forças para a próxima caçada.

Para aproveitar oportunidades "menores" é preciso fazer como Bill Gates e deixar a vaidade de lado. Eu mesmo tive a chance de passar por uma situação parecida quando decidi trocar a carreira de músico pela de executivo.

Quando cheguei aos Estados Unidos, em Los Angeles, soube que havia uma vaga de estágio em uma produtora musical e consegui uma entrevista.

Apesar de meu inglês na época ainda não estar tão fluente, consegui me sair bem na entrevista. Falei de meu passado como músico, de minha experiência com publicidade, dos projetos que liderei, e assim por diante. Passados alguns dias recebi uma ligação do RH da produtora que dizia que eu estava contratado. A "má" notícia, porém, é que não havia salário, mas seria uma grande oportunidade para aprender e, ainda mais importante que isso, seria minha chance para entrar na tão disputada indústria de entretenimento.

Nos Estados Unidos, estágios não remunerados são mais comuns do que imaginamos. Se você assistiu ao filme *Em busca da felicidade*, com Will Smith, vai se lembrar de que o personagem da história, Chris Gardner, tinha conseguido o estágio que ele tanto sonhava, mas o problema era exatamente esse: não havia salário.

Mesmo com a falta de salário, fiquei muito contente com essa conquista, pois sabia que realmente era uma maneira de entrar na indústria. O mais importante é que meu plano estava dando certo, antes mesmo do que eu previa. Enfim, eu estava trabalhando em uma empresa de entretenimento em Los Angeles.

SEJA MELHOR QUE SEUS CONCORRENTES

No primeiro dia do estágio, porém, veio a verdadeira má notícia. Assim que cheguei, a mesma moça que havia me entrevistado me recebeu dizendo qual seria minha função:

— Esse é o seu primeiro projeto: aqui tem 5 mil etiquetas e 5 mil envelopes. Pode começar a colar.

Uma ducha de água fria! Pensei na hora com os meus botões: "Colar etiquetas? No Brasil eu era músico, gravei CDs, fiz concertos e turnês, negociei com agências de publicidade, liderei projetos! Além disso, havia conseguido ingressar em um dos melhores programas de MBA dos Estados Unidos. É muita humilhação!". Fiquei com vontade de mandar ela pegar aquelas etiquetas e... mas respirei fundo, dei um pequeno sorriso e comecei a colar as etiquetas.

Cheguei em casa arrasado. Disse à minha mulher que não estava passando bem, tive até febre — provavelmente causada pela reação de um ego destruído, e não por infecções. Tive vontade de não voltar lá no dia seguinte, mas voltei.

Então, no segundo dia, olhei para as etiquetas, encarei os envelopes e felizmente mudei minha visão daquela situação: "Quer saber? Vou procurar colar essas etiquetas da melhor forma possível. Se eu fizer rapidamente, terei tempo para outras coisas".

Tratei de testar sistemas, ora empilhando de um jeito, ora de outro. Ora começando pela esquerda, ora pela direita, ora separando os envelopes por grupos, ora colando individualmente, testando todas as possibilidades. O trabalho foi se tornando cada vez mais rápido. Então tive uma ideia simples: ler as etiquetas à medida que as colava.

Foi assim que comecei a entender algumas particularidades daquele negócio. Sabia quem eram os contatos da produtora, em que estados ficavam. Apenas lendo as etiquetas dava para entender que tipo de música era mais ouvida em determinada região do país — informação que comecei a usar para conversar com as pessoas da empresa, mostrando meu interesse em entender essas diferenças entre as regiões.

Paralelamente, fui conhecendo pessoas e criando minha rede de contatos. Ao perguntar sobre o destino da correspondência, demonstrava minha curiosidade e meu interesse no negócio. Então, perguntava abertamente como a indústria funcionava e quais eram os passos para trabalhar em outras funções.

Enquanto colava as etiquetas, não gastava meu tempo contando os minutos para sair dali. Eu contava os minutos para *entrar* ali, não necessariamente na produtora, mas naquela indústria e, portanto, chegar cada vez mais perto dos meus objetivos. Resumindo a história, o resultado foi que, três anos depois, eu me tornei um executivo da área de marketing de um dos mais importantes estúdios do planeta — a Warner Bros.

Se eu tivesse virado as costas para aquelas etiquetas, provavelmente minha história teria sido bem diferente e hoje eu não estaria escrevendo este livro sobre sucesso profissional.

Longe de mim querer me comparar a Bill Gates, mas um ponto comum que quero mostrar com essas duas histórias é que a humildade é um fator indispensável para reconhecer oportunidades. No caso de Bill Gates, a humildade veio do fato de ter afastado sua vaidade de ser o criador do DOS. Ele poderia ter pensado: "Não quero saber desse programinha do Tim Paterson, vou criar o meu". No meu caso, eu poderia ter tido

SEJA MELHOR QUE SEUS CONCORRENTES

a atitude de não me sujeitar a fazer um trabalho "inferior", que era o de colar etiquetas.

O mundo registra muitos casos de oportunidades aproveitadas e também de oportunidades perdidas.

Talvez a maior e mais espetacular oportunidade de toda a história humana tenha sido perdida pela China, no século XV, quando o grande país era governado pela dinastia Ming, cujo principal imperador foi Yong Le, que reinou de 1402 a 1424. Entre outros feitos, foi Yong Le quem transferiu a capital para Beijing e construiu a famosa Cidade Proibida.

O cientista norte-americano Jared Diamond, em seu livro *Guns, germs and steel* (publicado no Brasil com o título *Germes, armas e aço*), conta que, no começo do século XV, a China era muito mais avançada que a Europa, em termos tecnológicos, científicos e militares. Tinham inventado a pólvora, a imprensa, o ferro fundido e a bússola, só para mencionar as invenções que são consideradas fundamentais para o posterior poderio europeu. Os chineses tinham também uma frota de centenas de navios capazes de transportar até 28 mil pessoas, que exploraram toda a costa da Índia e a costa oriental da África, décadas antes das caravelas portuguesas e espanholas cruzarem o Atlântico.

Com tudo isso, por que será, então, que os chineses não expandiram seu império como os europeus?

O que ocorreu foi uma decisão da corte, que mudou para sempre o curso da história: as navegações transoceânicas foram simplesmente proibidas pelo imperador. O motivo foi uma disputa palaciana entre duas facções, uma delas era a que controlava a marinha. Como essa facção foi derrotada, a outra prevaleceu e, como punição, proibiu que se fizessem viagens ao redor do mundo. Por falta de visão, o imperador resolveu virar as costas para o mundo.

Foi assim que, quando os chineses deixaram de aproveitar uma grande oportunidade — sua superioridade tecnológica —, os europeus, mesmo mais atrasados na época, tomaram as Américas, a África e quase todo o resto do mundo.

No mundo corporativo, é comum que oportunidades sejam desperdiçadas porque as pessoas têm medo de encarar um novo desafio, achando que suas habilidades podem estar aquém do que é necessário. O medo de fracassar faz que a pessoa desista da oportunidade. Como já sabemos, as biografias de muitos dos grandes executivos e empresários é repleta de "fracassos" antes de eles alcançarem o sucesso. Portanto, lembre-se sempre do *Olho de Tigre* e encare o desafio.

Por outro lado, muitas oportunidades também são perdidas principalmente por outros dois motivos: ou a pessoa menospreza a chance por lhe parecer inferior, achando que não está à sua altura; ou a oportunidade lhe parece muito trabalhosa e incompatível com o seu nível de remuneração, o que a faz sentir-se explorada.

Chamo esses dois últimos casos de: síndrome do "não compensa" e síndrome do "não sou pago para isso".

A síndrome do "não compensa"

Tive um amigo que nunca parava em nenhum trabalho, apesar de ter excelente formação cultural, por sempre ter estudado em

SEJA MELHOR QUE SEUS CONCORRENTES

bons colégios. A faculdade que cursou não era a melhor, mas para um curso de administração também não era das piores.

Ele vinha de uma família de classe média alta e, mesmo com 30 anos, ainda morava com os pais. Na cultura brasileira isso é até aceitável; nos Estados Unidos, se você ainda mora com os pais aos 25 anos, já é considerado um grande *loser*.

Contudo, o fato de ainda morar com os pais não era o verdadeiro problema. O mais preocupante é que, aos 30 anos, ele nunca tinha parado mais do que seis meses em emprego nenhum. Já tinha trabalhado em quatro ou cinco empresas, mas, reunindo toda sua experiência nessas empresas, não somava mais que dois anos. Também tinha tentado alguns negócios em sociedade com amigos, mas nada deu muito certo.

Quando conversávamos sobre sua situação profissional, ele falava que estava complicada. Que o mercado estava difícil, que, mesmo tendo feito algumas entrevistas, não estava encontrando "nada decente".

Sempre que eu perguntava o que acontecia em seus empregos, o padrão de respostas era o mesmo:

— Eu ficava me matando de trabalhar e não era valorizado. Não compensava.

Ou então ele alegava que enfrentava um trânsito infernal para chegar à empresa X, pois era muito longe de sua casa. Portanto, não compensava.

Na empresa Y, teria de se sacrificar por muitos anos até ter um cargo razoável. Portanto, não compensava.

Em outras, as funções que lhe passavam "eram ridículas; eu tinha capacidade para muito mais". Portanto, não compensava.

Quando eu indagava sobre a possibilidade de fazer qualquer trabalho, mesmo que fosse trabalhar temporariamente em uma loja ou algo do tipo, até aparecer uma oportunidade melhor, sua resposta era... (bem, você já sabe, certo?).

Por sua família ter uma condição financeira favorável, ele acabava "empurrando com a barriga" essa situação, pois não precisava trabalhar para sobreviver.

Certo dia tudo mudou na vida dele. Foi convidado para ser o diretor de uma grande multinacional com um salário astronômico em um trabalho que tinha pouca pressão e com um detalhe: a empresa ficava a apenas dois quarteirões da sua casa. Então...

Ops, parem as máquinas! Será que foi esse mesmo o fim da história? Claro que não. Se você não estranhou a sequência, cuidado, pois a síndrome do "não compensa" pode tê-lo contaminado. Esse é apenas o final imaginado por quem sofre desse mal.

O final verdadeiro é bem diferente e totalmente esperado. Meu amigo está com mais de 40 anos, continua esperando que aquela grande oportunidade apareça e, claro, continua morando com os pais. E vai continuar lá, até que seus pais olhem para aquele quarentão no sofá e digam:

— Isso sim é que não compensa!

O grande erro cometido pelo meu amigo foi encarar as chances que teve como se já devessem ser seu objetivo final. Essa

SEJA MELHOR QUE SEUS CONCORRENTES

comparação é fatal, pois inevitavelmente causará frustração. Oportunidades devem ser encaradas como fases de um processo que deve levar a um objetivo. É ótimo quando descobrimos atalhos, mas meu amigo queria *pular todas as fases* e sair diretamente do sofá de sua casa para o emprego dos seus sonhos. Como tenho dito ao longo deste livro, isso simplesmente não vai acontecer.

Por isso, não importa o tamanho da oportunidade — o que importa é se ela está na direção dos seus objetivos ou não. Insisto nesse ponto: uma oportunidade, que aparentemente pode ser insignificante, na direção de seus objetivos vale muito mais do que uma "boa" oportunidade em outra direção.

No meu caso, como meu objetivo era mudar de carreira e me tornar um executivo da indústria de entretenimento, colar etiquetas em uma produtora musical valia muito mais que um trabalho como músico, *mesmo que eu fosse muito bem remunerado*.

Quando abandona a vaidade e pratica a humildade, aceitando situações como fases de um processo, você se torna interessante para a empresa. Sim, pois a empresa terá alguém com garra, determinação e ávido para crescer. Toda empresa quer um profissional assim.

Esse é o "pulo do gato", ou melhor, o *Olho de Tigre*: transforme *você mesmo em uma grande oportunidade para a empresa*.

A síndrome do "não sou pago para isso"

Quando você recebe uma tarefa que está além do combinado, pode se sentir tentado a repetir a velha frase: "Não sou pago para isso!". No entanto, se tiver o *Olho de Tigre*, verá aí uma oportunidade de provar seu valor e se destacar.

É óbvio que tudo tem limites, mas a ideia aqui é sempre procurar fazer o "algo mais". Já quem sofre da síndrome do "não sou pago para isso" ignora que fazer mais do que o combinado muitas vezes é o passaporte para crescer profissionalmente. Vamos entender o porquê.

Para as empresas, o custo de promover um colaborador vai muito além da diferença do salário. Há também o risco de o profissional não corresponder às novas funções, de a equipe não respeitar o novo líder e, finalmente, de as metas não serem alcançadas. Em outras palavras, sempre que uma promoção "não dá certo", há perda de tempo, dinheiro e energia.

Por isso, quando há uma vaga de líder, os acionistas ou diretores enfrentam sempre o mesmo dilema: contratar alguém de fora ou promover alguém da equipe?

Trazer alguém do mercado tem a vantagem de ter um profissional com experiência na função, mas com a desvantagem de esse profissional não conhecer a cultura da empresa. Quando se promove alguém da equipe, ocorre o contrário: conhecimento da cultura da empresa, mas não da função.

Promover alguém da equipe tem pelo menos duas vantagens extras: faz muito bem para a moral dos outros funcionários, que enxergam a possibilidade de promoções, e quase sempre é mais barato, pois "roubar" alguém que já está colocado em outra empresa pode custar caro. Imagine que os acionistas de uma empresa têm de escolher um novo presidente para sua companhia e decidam promover um dos diretores para a função. Todos os diretores têm suas qualidades e desempenham

SEJA MELHOR QUE SEUS CONCORRENTES

bem suas funções em suas áreas. Tecnicamente é difícil avaliar. Qual deve ser o critério decisivo para a escolha?

O critério que representa menor risco para os acionistas é escolher aquele que *já age* como presidente, mesmo não ganhando para isso.

Isso vale para vice-presidentes, diretores, gerentes, supervisores ou chefes de equipe. Quem já tem as qualidades de um líder — quem tem o *Olho de Tigre* — tem mais chances de ser promovido.

Acredite, se você é daqueles que desempenham suas funções com perfeição, mas nunca fazem mais do que o estritamente combinado, terá menos chances de figurar na lista de candidatos à promoção. Ponha-se no lugar dos gestores: se eu tenho um funcionário que já age como gerente, por que devo arriscar com o outro que não age assim?

Os norte-americanos têm uma expressão que diz "*go the extra--mile*", ou, adaptando para o português, seria algo como "ande um quilômetro a mais". Os profissionais acima da média sempre fazem além do que lhes é pedido e por isso são mais valorizados. O escritor Napoleon Hill, um dos precursores do desenvolvimento pessoal, dizia que "aquele que faz mais do que aquilo para que é pago, logo receberá a mais pelo que faz".

Para ser promovido, você deve sempre pensar em como agregar valor para a empresa, independentemente do que lhe foi pedido, e não ficar pensando no que a *empresa* pode lhe oferecer. Lembre-se da célebre frase do ex-presidente norte-americano John F. Kennedy: "Não pergunte o que a nação pode fazer por você; pergunte o que você pode fazer pela nação". Esse é o espírito do vencedor.

Quando eu já estava cursando o MBA nos Estados Unidos, consegui uma vaga na Sony Pictures, na divisão de Home Entertainment para a América Latina. Era o que os norte-americanos chamam de *summer job*, ou seja, um trabalho de três meses que é feito no período de férias da universidade (de junho a agosto).

Estava radiante, pois conquistar uma vaga na Sony Pictures não era tarefa fácil. Fruto de muito esforço, uma boa dose de *networking*, além, obviamente, de já ter no meu currículo uma experiência de estágio em uma empresa de entretenimento de Los Angeles (lembra das etiquetas?). Mais uma vez, porém, o começo do *summer job* não foi glorioso. Dessa vez não foram etiquetas, mas meu primeiro projeto foi traduzir capas de DVDs para o português. Não era o trabalho dos sonhos de alguém que estava cursando um MBA, entretanto, novamente encarei aquele "pequeno serviço" como uma oportunidade de ouro.

Eu era o primeiro a chegar e o último a sair do escritório. Traduzia as capas com uma rapidez excepcional, só para poder falar ao meu chefe: "Bem, já terminei, o que mais posso fazer?". Espantado, ele dizia: "Já? Bem, hoje não tem mais DVDs, mas tem alguns projetos aqui, dos quais estou analisando a viabilidade; quer dar uma olhada?". Claro que dei uma olhada. Análise após análise fui demonstrando cada vez mais interesse. O mais importante: não deixava de cumprir minhas obrigações com as traduções dos DVDs.

Um dia, conversando com o meu chefe, ele me falou que estavam pretendendo lançar uma rede de lojas de aluguel de DVDs na América Latina, no estilo da Blockbuster, que na época era a empresa líder de aluguel de DVDs. Não tive dúvidas: eu mesmo faria uma análise de viabilidade, sem que ninguém me pedisse. Pesquisei, fiz todas as contas com os dados de que dispunha, montei o plano de negócios e mostrei. Meu chefe olhou, pensou

SEJA MELHOR QUE SEUS CONCORRENTES

um pouco e disse: "Caramba! isso está muito legal; vamos mostrar essa análise para o vice-presidente da divisão".

Alguns dias depois, lá estava eu, na sala do vice-presidente, apresentando meu plano de negócios, recheado de pesquisas, números e com uma pitada de ideias criativas. Causei uma impressão tão boa que começaram a me passar outros projetos para analisar, além do que eu já fazia (sim, eu ainda continuava traduzindo os DVDs).

Contudo, o verdadeiro *Olho de Tigre* apareceu quando, certo dia às cinco da tarde, veio a notícia de que o presidente da divisão precisava de uma análise de um projeto para o dia seguinte, pois teria uma importante reunião de última hora com investidores.

Meu chefe estava superestressado, pois tinha de ir para casa cedo por causa de um compromisso pessoal. Para mim, parecia uma "gazela bebendo água no lago sozinha". Não tive dúvida: pulei e agarrei a oportunidade. Disse a ele: "Deixe que eu faço! E aí você revisa amanhã de manhã". Passei praticamente toda a madrugada lá e fiz o melhor que pude.

Na manhã seguinte, meu chefe revisou, fez alguns ajustes e disse: "You are the man!" ("Você é o cara!").

O resultado você pode imaginar: a partir daquele dia nunca mais me deram traduções para fazer. Em vez disso, me deram um emprego, no qual fiquei durante todo o segundo ano do meu curso de MBA.

Foi lá, no curso, que apareceu outra grande oportunidade. Um dos professores era ex-executivo da Warner Bros. e em certa aula levou o presidente da divisão de Home Entertainment da

Warner para dar uma palestra. É óbvio que me aproximei dele no fim da aula e consegui, no meio de tanta gente, falar que eu trabalhava na área de marketing da divisão de Home Entertainment da Sony e perguntei a visão dele sobre uma questão pertinente àquela área. Felizmente, ele se mostrou interessado pela pergunta e começou a me contar a sua visão sobre o tema. Quando acabou de falar, agradeci e disse que adoraria conhecer as eventuais oportunidades que havia na Warner naquela área. Ele me deu seu cartão e disse: "Estamos expandindo essa área; envie-me um e-mail".

Na mesma noite, comecei a escrever o e-mail. Lia, relia, ficava olhando o cartão que ele havia me dado como se fosse um passaporte para o meu futuro. Procurava me lembrar de palavras que ele tinha usado em sua explicação para incluir no e-mail e até cheguei a ligar para um amigo norte-americano para que ele revisasse meu texto. Era um e-mail de apenas três linhas, mas gastei mais de três horas para escrevê-lo. Mandei o e-mail e, para minha grande surpresa, dois dias depois o RH da Warner me ligou, dizendo que o presidente havia recomendado que eles me conhecessem. Depois de quase seis meses e uma exaustiva sequência de entrevistas que pareciam intermináveis, acabei sendo um dos escolhidos para um programa de desenvolvimento de executivos que a Warner mantinha com alunos selecionados entre os mais prestigiados cursos de MBA, com o objetivo de formar novos líderes. Eram apenas quatro profissionais escolhidos por ano entre centenas de candidatos.

É fácil imaginar o esforço e a dedicação que investi nessa oportunidade. Aproveitava cada gota dos conhecimentos que me eram apresentados. Realizava cada tarefa como se estivesse na final de um campeonato. Com isso, fui sendo promovido e,

SEJA MELHOR QUE SEUS CONCORRENTES

aos 30 anos, cheguei a ser gerente de uma área que faturava mais de 2 bilhões de reais. Nada mal para um brasileiro, ex--músico que até os 20 e poucos anos nunca tinha trabalhado em uma empresa.

UM MÉTODO PARA APROVEITAR OPORTUNIDADES

1 Não menospreze as oportunidades "menores"

Antes de desprezar um possível projeto, por mais mundano que ele lhe pareça, pergunte a si mesmo se não poderia aprender algo com ele. Não caia na armadilha da síndrome do "não compensa".

Exercer funções consideradas "menores" é considerado tão importante que algumas companhias fazem isso com seus altos executivos, como uma forma de mantê-los conectados com o negócio real e não se perderem apenas nos grandes números.

A rede de *fast-food* norte-americana, Taco Bell, adotou a norma de que seus executivos devem passar um dia por ano na operação de um dos restaurantes, executando as funções mais básicas. A brasileira Ambev também faz algo semelhante: regularmente, seus altos dirigentes têm de entrar no caminhão e fazer entregas das bebidas, de bar em bar, nos lugares mais recônditos.

Essa é uma excelente maneira que essas empresas encontraram para que seus executivos entendam como funciona a operação na vida real e não só no ar-condicionado de seus escritórios.

Se esses altos dirigentes podem aprender com as funções menores, você também poderá.

2 Não tenha medo das grandes oportunidades

Quando um projeto lhe parecer acima das suas possibilidades, talvez sua primeira reação seja recusá-lo, por medo de fracassar. Isso pode fazê-lo desperdiçar uma grande oportunidade.

Vença essa reação inicial e analise o projeto com calma. Será mesmo que você não é capaz? Como discutimos na seção de criatividade, assumir riscos calculados faz parte de qualquer trajetória de sucesso. Lembre-se de Bill Gates, que aceitou o desafio da IBM sem ter nada nas mãos.

3 Ande um quilômetro a mais

Afaste de uma vez por todas a síndrome do "não sou pago para isso". E jamais caia na tentação de achar que seu colega que está andando um quilômetro a mais é bajulador, interesseiro ou mesmo tolo. Esse seu colega provavelmente tem o *Olho de Tigre*.

Se, por outro lado, perante uma tarefa extra, você sempre acha que não é pago para isso, pode ficar tranquilo: você não é e nunca será pago para isso.

Mais ainda que aceitar desafios extras, o verdadeiro segredo do sucesso é se antecipar a eles, oferecendo-se para resolvê-los.

4 Aprenda a ver o "ouro"

Vimos neste capítulo que aqueles que sabem ver o "ouro" que existe nas oportunidades conseguem atingir seus objetivos. Para aprender a ver o ouro, é preciso manter a mente aberta e ter humildade.

SEJA MELHOR QUE SEUS CONCORRENTES

- Bill Gates viu "ouro" naquele pequeno programa de computador.

- Eu vi "ouro" em um emprego simples como colador de etiquetas.

- O imperador chinês Yong Le *não viu* o "ouro" na própria vantagem tecnológica.

Talvez o exemplo mais espantoso de como ver o "ouro" no munco dos negócios seja a história da cadeia de restaurantes McDonald's. Quem tornou essa marca um gigante mundial não se chamava McDonald, mas sim Ray Kroc, um vendedor de máquinas de *milkshake* que tinha 52 anos quando viu sua mina de ouro. Foi na década de 1950, época em que os irmãos McDonald tinham uma lanchonete em San Bernardino, na Califórnia. Kroc fornecia máquinas de *milkshake* para a lanchonete dos irmãos McDonald e, intrigado com a grande quantidade de máquinas que eles compravam, resolveu entender melhor o que eles faziam por lá. Os irmãos haviam desenvolvido um sistema que necessitava de mais máquinas que outras lanchonetes para, justamente, conseguirem servir seus clientes com mais rapidez. Ali nascia o conceito de *fast-food*.

Kroc ficou encantando com o que viu e ofereceu para os irmãos se tornar um "licenciador" dos restaurantes McDonald's. Os irmãos concordaram, mas não pareciam tão entusiasmados com o projeto como Kroc estava. Por isso, após algum tempo Ray Kroc, enxergando a mina de ouro que estava à sua frente, sugeriu comprar dos irmãos os direitos do nome McDonald's. Bem, o resto da história o mundo inteiro já conhece.

Quero chamar a atenção para aquele momento mágico em que o vendedor de máquinas de *milkshake* olhou para uma pequena lanchonete e vislumbrou um negócio milionário, enquanto os próprios criadores da lanchonete não conseguiram enxergar isso.

Faça o mesmo com as oportunidades que se apresentarem em sua trajetória: procure sempre e veja se "tem ouro escondido lá".

Talvez você esteja se perguntando o que aconteceu com o programador Tim Paterson, que não pôde ver o "ouro" que havia no próprio programa que criou: o DOS, semente do império Microsoft.

Ele trabalhou por dois anos na Microsoft, nos anos de 1980, e hoje vive uma vida reclusa, mantendo uma pequena empresa de softwares, além de seu *blog*. E só.

Capítulo 5

Mire os gigantes

Toda profissão e todo ramo de negócio têm seus ícones, aquelas pessoas que realizaram grandes proezas, ficaram famosas, bilionárias ou revolucionaram o mercado.

Você pode tratá-las como deuses inatingíveis ou encará-las como seres humanos que um dia foram iguais a todos nós.

Tratá-las como deuses inatingíveis é uma atitude perigosa, pois pode dar espaço para inúmeras desculpas confortáveis, que vão mantê-lo onde você está. É muito melhor encará-las como seres humanos, estudar suas biografias, investigar suas atitudes e procurar entender como elas se tornaram tão bem-sucedidas.

Neste capítulo você vai conhecer as estratégias para construir uma rede de contatos que vai conectá-lo a pessoas-chave, que muitas vezes parecem inatingíveis e aprender como se posicionar para ser um vencedor.

A ESTRATÉGIA DO OLHO DE TIGRE

CAIA NA REDE

> *"Mais decisões de negócio acontecem durante almoços ou jantares que em qualquer outro momento. Mesmo assim, essa matéria não é ministrada nos cursos de MBA."*
> *Peter Drucker*

No mundo corporativo, existem dois tipos de profissionais: os que alimentam e mantêm uma forte rede de contatos e os que consideram o *networking* pura perda de tempo ou até "mera politicagem".

Quem tem o *Olho de Tigre* está no primeiro grupo. Esse profissional acima da média sabe que ninguém se faz sozinho e que uma rede bem articulada com aliados estratégicos vai alavancar seus objetivos e potencializar o sucesso. Na natureza, o tigre é um caçador solitário. Entretanto, se você quiser estar no topo da cadeia alimentar no mundo corporativo, precisará estar rodeado de aliados. Conhecer pessoas-chave é a meta final, o alvo do *networking*.

É fácil entender por quê. Existe um consenso entre os *headhunters* de que entre 75% e 80% das vagas que se abrem nas empresas são preenchidas por indicação. Na área de recursos humanos, esse método de escolha ganhou o apelido de "Q.I.", ou seja, "Quem Indicou". No entanto, não com sentido pejorativo, pois companhias sérias não deixam, obviamente, de avaliar a experiência e as qualificações dos candidatos, seja lá quem for que os tenha indicado. E sim no sentido de que quem vem indicado já tem uma vantagem, pois recebeu um aval de alguém de dentro da empresa.

MIRE OS GIGANTES

A indicação é tão importante que algumas empresas oferecem um bônus para colaboradores cujas indicações sejam efetivadas. O motivo é simples: uma boa indicação pode reduzir muito o tempo de recrutamento e seleção, além de diminuir o risco de a empresa contratar um candidato que parece competente, mas não é.

Para se tornar alguém que será constantemente indicado não basta apenas você ser competente ou ter um serviço ou um produto de qualidade. É fundamental que você construa uma poderosa rede de contatos.

Como fazer isso? A primeira providência, como sempre, é criar um plano de ação, conforme mostrarei mais adiante. Outro ponto fundamental é estar atento para não cometer erros básicos. Um deles é se aproximar de uma pessoa potencialmente importante para desenvolver sua rede de contatos sem saber nada sobre ela ou sobre seus negócios. Em tempos de internet, esse é um erro imperdoável, pois é muito fácil levantar o currículo de profissionais e as informações sobre suas atividades atuais. Por exemplo, a rede de relacionamentos profissionais LinkedIn é uma excelente fonte desse tipo de informação, além de ser um ambiente muito propício para fazer *networking*.

Outra atitude imperdoável em um contato profissional é "ir com muita sede ao pote". Pessoas que logo no primeiro encontro se apressam em pedir algo para si acabam parecendo interesseiras. Como veremos logo a seguir, a melhor estratégia para o primeiro contato é pedir apenas informações e deixar seu contato falar, demonstrando interesse por suas opiniões.

A agressividade excessiva também é negativa. Imagine um evento em que está presente alguém muito importante para você, cheio de pessoas em volta. Atravessar a conversa, furar fila e se acotovelar para dar seu cartão não terá efeito nenhum. Na verdade, se tiver, será efeito negativo, pois mostrará ansiedade.

Entretanto, você não pode deixar a timidez paralisá-lo. Muitas vezes será preciso sair da sua zona de conforto para não deixar escapar uma oportunidade de ouro.

Como se vê, fazer *networking* não é algo banal. Da mesma maneira que você planeja, prepara e executa estratégias de marketing, finanças ou vendas, também deve ter esse mesmo cuidado com o *networking*.

O mundo nem sempre é pequeno

Sempre que descobrimos em uma conversa que conhecemos alguém em comum com o interlocutor, vem à tona a expressão: "o mundo é pequeno". Para saber quão pequeno esse mundo é, em 1967, o psicólogo norte-americano Stanley Milgram realizou uma experiência que demonstrou que entre duas pessoas quaisquer havia apenas seis graus de separação. Ou seja, apenas seis pessoas separam você de qualquer indivíduo do mundo, seja ele o presidente da China ou a cantora Madonna.

A experiência foi realizada da seguinte maneira: cada pessoa recebia uma carta que identificava uma pessoa-alvo; ela deveria enviar uma nova carta para a pessoa identificada, caso a conhecesse, ou para uma pessoa qualquer de suas relações que tivesse maior chance de conhecer a pessoa-alvo. A pessoa-alvo, ao receber a carta, deveria enviá-la para os responsáveis pelo estudo. O resultado nos Estados Unidos foi de 5,5 graus de separação. Ou seja, em média eram necessárias 5,5 pessoas para chegar à pessoa-alvo.

MIRE OS GIGANTES

Fiz um pequeno teste comigo mesmo para saber quantos graus me separam do presidente dos Estados Unidos. Lembrei que conheço um consultor de comunicação cujo irmão militou com o ex-presidente Lula nos anos de 1980, o qual, como se sabe, conhece o presidente Barack Obama. Pronto!

Eu > meu amigo consultor (primeiro grau) > irmão do meu amigo (segundo grau) > Lula (terceiro grau) > Barack Obama (quarto grau)

Apenas quatro graus me separam do presidente dos Estados Unidos. E tem mais: por meu intermédio, todos os meus conhecidos têm no máximo cinco graus de separação de Barack Obama. Reparem que "conhecer" significa que, em cada grau, as pessoas devem se reconhecer caso se encontrem.

Ora, se apenas quatro graus me separam de Obama, tenha certeza de que *poucos graus me separam de qualquer pessoa que potencialmente seja relevante aos meus objetivos profissionais.* Basta descobrir as conexões e ir atrás delas.

A teoria dos seis graus de separação inicialmente foi tida apenas como uma curiosidade, porém, com a crescente importância do *networking* na área de gestão e desenvolvimento profissional, a tese passou a ser estudada até porque, com a internet e suas poderosas redes sociais, esse assunto está absolutamente atual.

Tanto isso é verdade que os especialistas em *networking*, Ivan Misner e Michelle R. Donovan, resolveram refazer os estudos sobre graus de separação e publicaram o resultado no livro *The 29% solution: 52 weekly networking success strategies (A solução 29%: 52 estratégias para o networking de sucesso)* inédito no Brasil.

A ESTRATÉGIA DO OLHO DE TIGRE

Com base em seus estudos, Misner e Donovan afirmam que a teoria dos seis graus de separação funciona, mas apenas para 29% da população. Ou seja, o resto das pessoas talvez precise de mais passos para chegar a outra pessoa. O livro argumenta que para estar nesses 29% você precisa ativamente *construir* sua rede de relacionamentos.

Independentemente da porcentagem, o ponto importante é o seguinte: a rede tem de ser *construída*. Portanto, se você não se esforçar para desenvolver sua rede de relacionamentos, perderá possíveis oportunidades de estar em contato com pessoas que podem lhe abrir portas tanto para a carreira quanto para o fechamento de negócios.

Infelizmente, por mais atenção que esse tema venha recebendo na mídia, muitos profissionais ainda permanecem céticos e não dão valor ao *networking*.

A história do engenheiro João, que contarei a seguir, é a verdadeira expressão de como é prejudicial menosprezar a importância do *networking*.

João sempre sonhou com objetivos mais altos em sua carreira e, por isso, dedicava-se bastante ao trabalho, sendo um funcionário exemplar. Estava geralmente disposto a ajudar os colegas, mas, sempre que o pessoal do escritório o convidava para um *happy hour*, ele educadamente recusava.

O encontro acontecia apenas uma vez por mês, mas mesmo assim João pensava: "Já passo o dia inteiro com meus colegas de trabalho; depois do expediente quero ir para casa ficar com minha família". Ele também recebia convites para assistir a palestras após o horário de expediente e eventos, em geral ligados a tendências de mercado ou puramente para *networking*. Entre-

MIRE OS GIGANTES

tanto, sempre arrumava uma desculpa para não ir. Ou porque estava cansado ou porque o trânsito era muito ruim, e assim por diante.

Um dia, um amigo de João, Carlos Alberto, comentou sobre uma empresa multinacional nova que atuava no segmento de João e que estava vindo para o Brasil. Essa empresa faria um evento na quinta-feira à noite para apresentar seus produtos. O amigo de João achou que seria uma ótima oportunidade para ele conhecer os executivos dessa empresa, pois poderia surgir alguma oportunidade desse contato. Além disso, o próprio Carlos Alberto tinha ouvido falar que a empresa formaria todo o time de executivos com profissionais brasileiros. João agradeceu ao amigo, mas disse:

"Essas coisas nunca dão em nada". E acrescentou que tinha aula de ioga na quinta e que "não podia" faltar.

Além de João, Carlos Alberto havia convidado outros amigos, incluindo Sérgio, que prontamente aceitou o convite.

Passados cinco anos, João estava em uma festa de aniversário de um primo de sua esposa e entre um drinque e outro reconheceu um amigo que fez faculdade com ele. Começaram a conversar e João contou que estava trabalhando na mesma empresa havia mais de dez anos e que, apesar de não ter sido promovido a gerente ainda, estava satisfeito com seu trabalho. Sérgio, seu amigo de faculdade, que coincidentemente também era conhecido do outro amigo de João, Carlos Alberto, contou que era o diretor-geral de uma empresa multinacional que tinha se instalado no Brasil havia cinco anos e que estava pensando se aceitava uma proposta que a empresa lhe fizera para ir morar no exterior, e assim assumir a posição de vice-

-presidente internacional, reportando-se diretamente ao CEO mundial da empresa.

João ficou impressionado com o progresso do amigo e pensou consigo mesmo: "Puxa vida! Tem gente que tem muita sorte mesmo. Enquanto Sérgio ficava indo a eventos na faculdade, eu estava dando duro, estudando e trabalhando. Realmente nem sempre há justiça nesse assunto de carreira...".

Ao se despedirem, Sérgio convidou João para tomar uma cerveja com ele na próxima quinta-feira e comentou que executivos de outras empresas estariam lá também. João agradeceu, mas recusou educadamente:

– Ah, não vai dar, Sérgio. Tenho aula de ioga na quinta e não posso faltar.

Navegue no mar de contatos

O João da história simplesmente não entendia a importância do *networking*. É claro que no outro extremo existem pessoas que exageram na busca frenética por contatos e, principalmente com o advento das redes sociais, passam a acumular centenas e até milhares de contatos sem nenhum critério. As duas atitudes são equivocadas.

O *networking* é um trabalho e deve ser encarado e praticado com disciplina. Por isso, mais valem dez contatos que realmente importam do que 10 mil aleatórios. Nas redes sociais da internet, ficar convidando a esmo pessoas para entrar na sua rede demonstra imaturidade e para muitos pode representar uma invasão.

MIRE OS GIGANTES

A internet multiplicou, e também deixou mais complexas, as possibilidades de *networking*. Contudo, apesar de todas as facilidades, a tecnologia por si só não é suficiente. Você consegue chegar até as pessoas com rapidez, mas essa pessoa-chave, que pode aproximá-lo dos seus objetivos, jamais vai indicar alguém que não conhece, pelo menos por telefone.

Principalmente no alto escalão, quando você recomenda alguém, está colocando aí sua marca e sua reputação em jogo. Indicar alguém é algo muito sério no mundo dos negócios e ninguém vai fazê-lo a partir de um perfil na internet.

Estabelecido isso, é preciso saber como identificar os contatos que realmente importam e isso vai depender dos seus objetivos.

Vamos supor que você trabalhe na área financeira e queira passar para a área de recursos humanos. Além de estudar, informar-se e preparar-se, a estratégia de *networking* também deve ser construída. Pode haver pessoas da área financeira que conheçam gente de RH que sirvam de ponte. Será preciso participar de eventos de recursos humanos — palestras, congressos ou seminários. Todas essas são oportunidades de conhecer pessoas relevantes segundo seu objetivo.

No início não será nada confortável ir a um evento no qual você conhece pouca gente e, eventualmente, ficar um pouco isolado durante o coquetel. Ocorre que não existe opção "confortável". Os recrutadores das empresas não são obrigados a saber que você quer mudar de área e, mesmo que venham a saber, não vão sair correndo atrás de você para convidá-lo.

O *networking*, embora seja uma estratégia de carreira e negócios, não se resume a encontros em ocasiões formais. Festas também podem ser um ambiente para *networking*, desde que se cuide para não ser inconveniente. Tentar assinar contratos em uma festa é tão desastroso quanto contar piadas maliciosas em uma reunião formal.

No início da minha carreira nos Estados Unidos, fui convidado para um churrasco em que todos assistiriam ao evento esportivo mais importante do futebol norte-americano, o *Super Bowl*. Fiquei contente com o convite, pois seria uma excelente oportunidade para *networking*, mas só havia um problema: obviamente era futebol americano, ou seja, algo sobre o que eu não entendia nada! No entanto, como lá estariam pessoas importantes para mim, não tive dúvidas: estudei as regras antes de chegar e até um pouco da história dos campeonatos, para, pelo menos, saber o que perguntar. Seria cômodo ficar na minha zona de conforto com a desculpa de ser estrangeiro. Seria cômodo no churrasco, mas provavelmente muito incômodo para o desenvolvimento da minha carreira.

O fato é que muitas pessoas resistem a fazer *networking* com medo de rejeição. A única receita para vencer esse medo é encará-lo, a fim de "dessensibilizar" a causa do medo.

O personagem Batman, de tantos filmes e histórias em quadrinhos, é um bom exemplo disso. De acordo com a versão cinematográfica *Batman begins*, o disfarce do homem-morcego nasceu porque, quando criança, Bruce Wayne (sua identidade secreta) caiu em uma caverna cheia de morcegos e desenvolveu um medo terrível desses animais. Já adulto, ele decidiu enfrentar o medo e para isso voltou à caverna cheia de morcegos, até que venceu o medo e resolveu adotar o nome de homem-morcego para seu justiceiro mascarado.

Voltando à realidade, se você tem dificuldade para telefonar para marcar uma reunião ou realizar uma venda, treine ligando

MIRE OS GIGANTES

para pessoas que você conhece bem. Eu mesmo fazia isso, quando cheguei aos Estados Unidos. Meu inglês era bom, mas não tão fluente quanto eu gostaria. Havia o medo de não entender ou de não ser entendido em conversas telefônicas.

Para me "dessensibilizar" desse medo, eu telefonava o máximo de vezes que podia. Por exemplo, ligava muito para o banco, para pedir informações, para reclamar de algo e estendia um pouco a conversa, para treinar. Aqueles atendentes até hoje não sabem quanto me ajudaram na fluência em inglês!

Os norte-americanos possuem uma técnica de *networking* chamada *informational interview* ou "entrevista de informações". Basicamente pede-se uma breve reunião, de preferência presencial, com intuito de conhecer melhor a área ou a empresa em que a pessoa atua ou a trajetória de sua carreira. A ideia aqui é você realmente aprender mais sobre algo que esteja buscando e nesse processo desenvolver um contato. Quando surgiram as primeiras oportunidades dessas "entrevistas de informações", fui mais longe. Telefonava para amigos de confiança e pedia a eles que se pusessem no lugar da pessoa com quem eu falaria. Repetia esse procedimento algumas vezes até que meu discurso e meu inglês estivessem bons e fluentes.

O *networking* é tão importante nos dias de hoje que se tornou um negócio em si. Existem empresas que realizam eventos exatamente com a finalidade de promover o *networking*. Alguns reúnem só presidentes de empresas e têm uma programação formatada especialmente para permitir e favorecer encontros de negócios. Nesses eventos, as palestras são menos importantes que os bastidores e o tempo livre. O objetivo é dar aos participantes um tempo confortável para o *networking*.

Vamos ao método para construir uma poderosa rede de contatos.

A ESTRATÉGIA DO OLHO DE TIGRE

UM MÉTODO PARA "TURBINAR" SEU *NETWORKING*

1 Livre-se dos preconceitos

Desconsidere qualquer ideia preconceituosa em relação ao *networking*: "Coisa para quem não é competente" ou "para quem precisa disso para se dar bem na vida" ou ainda "pura perda de tempo".

O *networking* deve ser encarado como uma disciplina tão importante quanto finanças ou marketing. É uma atividade que faz parte de seu desempenho no mundo dos negócios.

2 Saia da zona de conforto

Aceite o fato de que para fazer *networking* você precisará sair da sua zona de conforto. Apesar de algumas pessoas terem mais facilidade que outras, nunca conheci ninguém que realmente amasse fazer *networking* com fins profissionais. Contudo, lembre-se do ditado: "*No pain, no gain*", ou seja, sem esforço não há resultado.

3 Defina metas

O *networking* tem de ser tão planejado quanto o lançamento de um produto no mercado. A diferença é que o "produto" é você. Por isso, é importante definir metas mensuráveis.

Por exemplo:

- Contatar, no mínimo, 10 pessoas por semana.

- Almoçar com alguém, pelo menos, 1 vez por semana.

MIRE OS GIGANTES

- Participar de, pelo menos, 1 evento por mês relacionado à área do seu interesse.

Separe tempo na sua agenda que seja compatível com suas metas. Da próxima vez que se sentir cansado para ir a algum evento, lembre-se da frase de Woody Allen: *"80% of success is just showing up"* ("80% do sucesso é simplesmente comparecer").

4 Faça um mapa

Faça um mapeamento das pessoas com quem você quer se conectar. É importante concentrar seus esforços em se conectar com as pessoas que eventualmente poderão contribuir para seu avanço profissional ou para o sucesso de seu negócio.

Cuidado, porém, para não ficar "míope" e deixar a busca muito restrita. Isso excluirá pessoas que possam contribuir para seu objetivo final. Por exemplo, não negligencie as pessoas mais próximas, como amigos e familiares, mesmo que não pertençam à sua área, porque muitas vezes elas podem conhecer pessoas que sejam um perfeito alvo para o seu *networking* profissional.

5 Encontre pontos de aderência

Antes de fazer qualquer contato, procure pontos de aderência. Ou seja, pesquise pontos em comum ou assuntos que facilitem sua conexão com a pessoa.

Eu, por exemplo, sempre buscava me conectar primeiramente com ex-alunos da universidade em que estudei nos Estados Unidos, porque esse ponto em comum já era uma boa introdução para o contato inicial. Se não havia esse ponto em comum, pesquisava a

A ESTRATÉGIA DO OLHO DE TIGRE

carreira da pessoa e buscava algum assunto que fosse relevante. Com o advento das redes sociais, ficou muito mais fácil saber um pouco mais sobre a vida das pessoas.

6 Capriche na primeira impressão

Uma vez que a primeira impressão é mesmo a que fica, esteja certo de usar as palavras adequadas para se apresentar e, se o encontro for pessoal, de estar vestido adequadamente para a ocasião. Encare esse primeiro contato como se fosse uma entrevista de emprego, a fim de estar o mais bem preparado possível, seja por e-mail, por telefone ou pessoalmente. Lembre-se de que essa é a sua chance de construir sua imagem. Se passar uma imagem negativa, será preciso enorme esforço para reverter essa situação.

7 Não peça nada no primeiro contato

Nunca peça algo no primeiro contato — a não ser informações. O segredo, aqui, é aplicar a técnica da "entrevista de informações".

Normalmente, as pessoas gostam de falar delas e isso pode ser uma grande oportunidade para iniciar um contato. Fiz diversas dessas "entrevistas" quando estava estudando nos Estados Unidos e algumas delas renderam bons resultados.

Ao fazer perguntas pertinentes, você também mostra interesse genuíno pelo que aquela pessoa está falando. Isso pode trazer resultado meses depois, quando aparecer uma vaga ou uma oportunidade de negócio. Não pense que a pessoa vá procurá-lo, mas se o contato inicial foi bem-sucedido, quando você identificar uma opor-

MIRE OS GIGANTES

tunidade relacionada àquela pessoa, certamente ela vai recebê-lo para conversar novamente e aí, sim, você pode pedir algo concreto.

8 Peça indicações

Sempre que você tiver um contato bem-sucedido na área que tem interesse, peça uma indicação para aquela pessoa para conectá-lo com alguém que possa oferecer mais informações sobre aquele assunto. Nada melhor para abrir portas que ser recomendado por alguém. A própria rede social LinkedIn disponibiliza esse recurso.

9 Faça manutenção

Como qualquer projeto, seu plano de *networking* precisa de manutenção. Esse é o ponto em que a grande maioria das pessoas falha. Afinal, não adianta nada todo o esforço de abrir um novo canal e nunca mais entrar em contato com essa pessoa.

É óbvio que você não deve jamais enviar correntes de e-mails com piadas ou informações inúteis.

Contudo, enviar regularmente um e-mail com um artigo interessante, ou seja, realmente relevante para aquela pessoa, ou uma dica de evento a cada dois ou três meses é uma ótima maneira de manter viva a sua rede de contatos. Se houver mais proximidade, um convite de almoço ou *happy hour* a cada dois ou três meses também é uma maneira excelente para manter esse contato.

A manutenção do *networking* é fundamental não só para conservar a rede ativa, mas também porque você precisa permanecer o mais próximo possível do "centro" dessa rede de relacionamentos para ter acesso às informações mais rapidamente — seja uma vaga ou uma oportunidade de negócios.

Nicholas Christakis — cientista social e professor da Universidade de Harvard, em um estudo sobre como as redes sociais humanas preveem epidemias — defende que a probabilidade de uma pessoa ser contaminada por alguma doença ou receber informações não depende somente da quantidade de conexões que ela possui, mas também da posição que ela ocupa nessa rede social.

Por exemplo, na Figura 2, se houvesse uma epidemia de algum germe, a pessoa A teria muito mais probabilidade de ser infectada que a pessoa B, pois ela está no centro da rede. Da mesma maneira, a pessoa A teria maior probabilidade de ficar sabendo de uma oportunidade de trabalho ou negócio que a pessoa B.

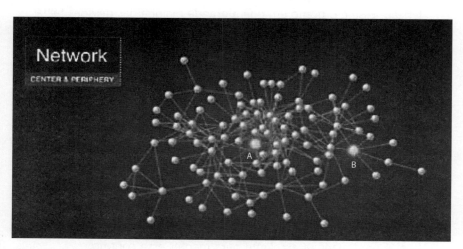

Figura 2. Networking

Portanto, em se tratando de *networking*, você precisa estar localizado o mais próximo possível do centro dessa rede de contatos.

NÃO BASTA SER, É PRECISO PARECER

"Não existe realidade — apenas percepção."
Dr. Phil

Quando algum animal invade o território de um tigre, muitas vezes o confronto nem chega a acontecer. Antes de partir para o ataque, o tigre apenas exibe o porte imponente, mostra os dentes afiados e tudo se resolve. O invasor reconhece a superioridade do "dono do pedaço" e sai correndo para procurar outro lugar. Nesse caso, o tigre demonstrou, como dizemos em marketing, seu *posicionamento de marca*.

Na verdade, quando o tigre exibe o porte e os dentes de 10 centímetros, está *se posicionando* como um adversário "duro na queda". Os dentes dos tigres são os maiores entre os felinos. Trata-se, portanto, de uma de suas fortalezas (lembre-se da potência da mordida na análise SWOT).

Da mesma forma, a Apple sempre exibe suas "garras de inovação" ao anunciar um novo produto. Quando o iPhone foi lançado, o celular da Apple acabou se tornando o marco inicial da tão esperada "convergência das mídias", conceito que previu o fenômeno de todas as mídias se misturarem em um único dispositivo e serem distribuídas pela mesma rede. O sucesso foi tão espetacular que obrigou quase todos os outros fabricantes de celulares a copiar o conceito, lançando aparelhos praticamente iguais no formato, no uso, nos componentes e na navegação.

A Apple "transpira" inovação. Seus produtos podem não ser os melhores em um ou outro aspecto, mas no quesito inovação ninguém discute sua liderança. A empresa resolveu se posicionar assim e tem sido muito bem-sucedida.

Posicionamento é o espaço que um produto ocupa na mente do consumidor. Por exemplo, Honda e Toyota são percebidos como carros duráveis e com ótima relação custo-benefício; já a marca Volvo representa segurança. Há muitas definições para o que é posicionamento de marca, mas vamos ficar aqui com o mais importante quando se aplica a indivíduos: a maneira como você quer ser visto e lembrado por seus colegas, gestores e pelo mercado.

Em outras palavras, é o modo como você se define para o mundo, baseado nas suas *fortalezas*, exatamente aquelas que você definiu no capítulo sobre autoconhecimento. É um ponto importantíssimo, pois sem ele todas as outras estratégias do *Olho de Tigre* ficarão escondidas e acabarão perdendo força.

Atenção: você tem de escolher entre suas fortalezas aquelas que farão mais sentido para seus objetivos e também que sejam apropriadas dependendo do contexto em que está inserido. Assim como um produto, um profissional que tenta ser tudo para todos acaba demonstrando um posicionamento confuso e ineficaz.

É verdade que existem produtos que comunicam ter exatamente "1.001 utilidades". Repare, porém, que, mesmo nesse caso do Bombril e seu eterno *slogan*, o grande atributo da marca é a eficiência na limpeza, ou seja, o produto tem *uma* grande utilidade que se sobrepõe às outras.

MIRE OS GIGANTES

Existem profissionais ecléticos e eles são bastante úteis para certas situações da empresa, assim como há jogadores de futebol que jogam bem em muitas posições do campo. Mesmo nesses casos, é importante que um dos atributos seja destacado.

No seu posicionamento profissional, destacar um atributo é definir suas competências principais (fortalezas) e as "soluções" que você oferece, tendo em mente que elas devem representar suas vantagens competitivas. Por exemplo:

Sandra é precisa com números, faz análises profundas e, nos momentos de crise, apresenta uma estabilidade invejável.

Roberto é um líder nato. É admirado pela sua equipe de vendas, mas nunca dá moleza: faz todos perseguirem as metas como se estivessem defendendo a própria vida.

Catarina é uma fábrica de soluções para problemas complexos, mas também muito humilde para reconhecer quando outros têm ideias melhores. Mesmo se a ideia não for sua, arregaça as mangas e parte para a execução.

Repare como é possível, nas frases anteriores, resumir o que é o posicionamento de um profissional. Ou seja, como ele é percebido por seus colegas. Agora vamos ver essas mesmas frases na forma de uma tabela:

	Fortaleza destacada	Soluções	Vantagem competitiva
Sandra	Habilidade com números	Faz análises profundas em qualquer planejamento	Habilidade numérica aliada à objetividade em momentos de crise
Roberto	Liderança	Inspira sua equipe a perseguir metas de vendas com garra e determinação	Liderança extremamente exigente, porém admirada pela equipe
Catarina	Criatividade	Apresenta muitas ideias para resolver situações complexas	Forte criatividade aliada à humildade para reconhecer ideias melhores

Experimente você também. Se não conseguir preencher os três itens com facilidade, significa que ainda precisa definir melhor seu posicionamento profissional. Sem um posicionamento claro, vai ser difícil saber o que você vai comunicar.

O posicionamento muitas vezes é confundido com o famoso "marketing pessoal". O problema é que esse conceito, embora estudado pelos grandes nomes da área de gestão, acabou sendo vítima de um preconceito injusto.

Na mente de algumas pessoas, marketing pessoal é sinônimo de "propaganda enganosa". Seria um conjunto de "truques" para ressaltar qualidades que o profissional não tem. Entretanto, esse preconceito parte de um grande equívoco: achar que os donos ou dirigentes das empresas são todos ingênuos!

MIRE OS GIGANTES

Por trás desse preconceito, muitas vezes há apenas uma daquelas "desculpas confortáveis" que vimos no início do livro. Explicar o sucesso de um colega com tom pejorativo, dizendo que "ele é bom mesmo no marketing pessoal", em geral, nada mais é do que a expressão daquele velho sentimento: a inveja.

É verdade que existem casos de pessoas que se "deram bem" enganando empresas, até em cargos de presidente, mas acredite: são exceções tão raras que realmente não vale a pena nem tentar seguir o mau exemplo.

Adaptando a famosa frase de Abraham Lincoln, eu diria o seguinte:

Você pode enganar todas as empresas durante certo tempo e enganar algumas empresas durante todo o tempo, mas não conseguirá enganar todo o mercado durante todo o tempo.

Mostre seu valor

Como ninguém é obrigado a conhecer suas qualidades, a responsabilidade por comunicá-las cabe inteiramente a você. A maneira como você se apresenta e se posiciona vai comunicar se você é um vencedor ou um perdedor. Saber "vender" a si próprio, portanto, é uma competência fundamental para quem quer atingir o sucesso.

Ao longo de minha carreira, conheci muitos executivos com excelente currículo, mas que não sabiam vender suas qualidades. Eram profissionais com passagens em grandes empresas e com formação acadêmica nas mais prestigiadas universidades do Brasil e do mundo, mas que, por não terem um posicionamento claro de "sua marca", acabavam não ocupando um espaço privilegiado na mente dos colegas e principalmente dos gestores.

Venda sua marca

É preciso ter sempre um posicionamento positivo e ser um bom vendedor da sua marca pessoal e das suas qualidades. Se não fizer isso adequadamente, suas palavras podem voltar-se contra você. Há um exemplo que ilustra bem esse ponto.

O advogado Jorge era um desses executivos com dificuldade de comunicar suas qualidades. Ele tinha um currículo invejável como advogado: formado pela Universidade de São Paulo, já havia trabalhado em vários escritórios, entre eles um dos maiores escritórios de advocacia da América Latina, na área de fusões e aquisições. De lá foi convidado por um dos clientes para se tornar executivo de uma empresa que estava se expandindo internacionalmente. Sua carreira estava em pleno voo. Chegou a ir para a Europa como principal executivo da operação para montar uma filial da empresa.

Retornando ao Brasil pela mesma empresa, as coisas não fluíram tão bem. Jorge acabou se desentendendo com os acionistas e saiu da empresa. Quando eu o conheci, estava desempregado havia quatro meses.

Minha primeira pergunta foi: por que ele tinha saído da empresa?

> — Era uma ótima empresa, mas eu não estava gostando do que estava fazendo lá e não estava me entendendo com os acionistas.

MIRE OS GIGANTES

Ele se comunicava muito bem, era inteligente e tinha construído um bom posicionamento profissional. Claramente, sua vantagem competitiva é que conhecia como ninguém o mundo das aquisições, mas estava mostrando um pouco de insegurança nas suas respostas e, na hora de explicar sua saída da empresa, foi um desastre. Fui duro com ele:

— Jorge, preciso lhe falar duas coisas: quando ouço um executivo dizer que saiu da empresa porque não estava gostando do que estava fazendo, logo penso que essa pessoa não vai me trazer resultados, pois na primeira desavença pode "não gostar" da situação e ir embora. Portanto, jamais contrataria alguém assim. Quando contrato alguém, quero uma pessoa que venha para agregar valor, para resolver problemas, não para gostar ou deixar de gostar de algo.

Jorge me interrompeu dizendo:

— Mas foi isso que aconteceu; essa é a verdade.

Então, pedi a ele que me explicasse com mais detalhes o motivo pelo qual não estava mais "gostando" do que fazia. Ele me disse que queria expandir a empresa para outros mercados e até entrar em novas linhas de negócio, mas os controladores da empresa eram muito conservadores e eram contra qualquer um desses planos.

Pronto! Aí estava um ângulo que poderia dar a Jorge um posicionamento positivo quanto à sua saída da empresa. Expliquei a ele, que em uma próxima entrevista, deveria dizer que saiu da empresa porque sua visão do negócio estava divergindo da visão dos controladores, que, enquanto ele queria expandir a empresa para novos mercados e implementar uma cultura de excelência e liderança de mercado, os controladores estavam satisfeitos em permanecer na posição que ocupavam. Por essa razão, ele se desligou da empresa. Porque ele era um profissional que não se contentava em simplesmente manter o *status quo* e por isso estava em busca de novos desafios nos quais pudesse exercitar essa visão.

Perceba que as duas versões da mesma história são verdadeiras, mas obviamente o ângulo tomado na segunda versão fez que ele se tornasse um candidato muito mais atraente para qualquer empresa.

Ele prestava bastante atenção. Então continuei:

> — Em segundo lugar, tenha o *Olho de Tigre*. Olhe no olho do seu entrevistador e com confiança, mostre para ele que você tem currículo, experiência e, acima de tudo, competência para ajudar a empresa a enfrentar qualquer desafio. É isso que as empresas procuram: alguém que dará conta do recado.

Jorge agradeceu educadamente minha atenção e meus conselhos, mas honestamente eu não sabia se ele tinha absorvido o que eu dissera ou se estava me odiando.

Dois meses depois, recebi um e-mail dele dizendo: "Prezado Renato, gostaria de lhe dar uma notícia, mas gostaria muito que fosse pessoalmente. Você teria disponibilidade para almoçarmos na semana que vem?".

Jorge me convidou para almoçar em um dos mais prestigiados restaurantes da cidade, o que me fez suspeitar de que ele tinha algo muito bom para me contar. De fato, tinha:

MIRE OS GIGANTES

— Então, Renato, veja só o que aconteceu. Algumas semanas depois que tivemos aquela conversa, consegui uma entrevista, mas dessa vez fui com o *Olho de Tigre*. Era um cargo importante, foram mais de dez entrevistas e em cada uma delas lembrava claramente de seus conselhos e do *Olho de Tigre*. O resultado foi que acabo de ser contratado como presidente de uma empresa multinacional que está vindo operar no Brasil!

Saber vender sua marca é importante em qualquer situação e especialmente quando você quer mudar seu posicionamento. Os exemplos a seguir são bastante elucidativos de como transformar uma aparente desvantagem em uma vantagem competitiva.

Frequentemente sou convidado a falar sobre temas ligados a carreira e ao sucesso profissional em programas de televisão e rádio. Certa vez, em um desses programas de rádio, apareceu uma ouvinte com a seguinte pergunta: "Trabalho como empregada doméstica, mas quero buscar emprego como recepcionista. Devo contar ao entrevistador que trabalho como doméstica?". Ela achava que seu trabalho como empregada poderia prejudicar seu objetivo e queria saber o que fazer.

Então perguntei a ela: "Como empregada doméstica, você não tem de atender ao telefone? Você não tem horário a cumprir? Não tem de anotar recados? Não tem de ter disciplina para cumprir as tarefas?". Todas essas competências eram transferíveis para o cargo de recepcionista. Portanto, ela poderia tirar vantagem disso, em vez de esconder que trabalhava como empregada doméstica, aumentando, assim, suas chances de contratação.

A ESTRATÉGIA DO OLHO DE TIGRE

Quando eu estava buscando me inserir no mercado de trabalho norte-americano, de certa maneira, tudo estava contra mim. Eu não tinha uma formação acadêmica na área de administração, era estrangeiro e, por mais que me comunicasse bem em inglês, não dava para comparar com um norte--americano. Além disso, a indústria na qual eu estava tentando ingressar — do entretenimento — era uma das mais competitivas. Los Angeles é o lugar onde estão todos os *headquarters* dos grandes estúdios e por isso tinha gente do mundo inteiro tentando uma oportunidade de trabalho na gloriosa (bem... às vezes nem tanto) indústria de entretenimento. Por isso, procurei me posicionar com algo que poderia ser uma vantagem competitiva. Eu conhecia o mercado e a cultura do maior país da América Latina e falava português e espanhol (investi em aprender espanhol justamente porque sabia que essa era uma vantagem que teria sobre a maioria dos norte-americanos).

Além disso, reposicionei minha suposta fraqueza — não ter uma formação tradicional em administração — como uma possível vantagem: a formação em música, aliada ao curso de MBA que eu estava fazendo, permitia-me ter uma visão mais ampla de negócios do que a de uma pessoa que só tinha estudado administração ou algo mais tradicional.

Eu seguia todos os passos que temos discutido até agora: conhecia minhas fortalezas e minhas limitações; tinha meus objetivos claros; dedicava-me de corpo e alma sem me deixar abater pelos "nãos"; fazia diversos contatos de *networking* e ia a todos os eventos possíveis; estava sempre buscando soluções criativas para as dificuldades que apareciam; não menosprezava nenhuma oportunidade (lembra das etiquetas que colei?). No entanto, não adiantaria nada eu fazer tudo isso se meu posicionamento fosse equivocado. Por exemplo, se eu tentasse competir com os norte-americanos me posicionando como um bom comunicador (lembra-se de que essa era uma das minhas fortalezas?). Seria como um tigre atacar um bando de leões — ou seja, provavelmente não conseguiria os resultados que obtive.

Faça autopublicidade

Muita gente acha que as qualidades que possui são facilmente reconhecidas pelos outros, mas quem garante que sua autoimagem corresponde à imagem que fazem de você? No mundo corporativo, e em muitas situações da vida, você não é quem *pensa ser*. Você é *o que os outros acham que você é*.

Lembre-se sempre de que o posicionamento é um jogo de percepções. Não adianta nada você ser o melhor em algo se as pessoas não o veem dessa maneira. Em outras palavras, não basta somente *ser*, é preciso *parecer*. Você precisa ser um bom publicitário de si mesmo e de sua marca.

Por isso, digo que a responsabilidade dessa comunicação é totalmente sua. Funciona como nos produtos, em que a publicidade e a embalagem se esforçam para ressaltar as qualidades e os benefícios para o consumidor comprá-los. Por exemplo, se um suco tem adição de vitaminas e, isso for algo importante para o público consumidor, esse atributo deve ser claramente ressaltado na comunicação. Deixar essas vitaminas "escondidas" naquela listinha de nutrientes não surtirá nenhum efeito na mente do consumidor e, portanto, seria indiferente ter ou não ter a adição dessas vitaminas.

Um aspecto muito importante sobre posicionamento é que mudar a imagem que os outros têm de você é algo tão complexo quanto mudar a percepção que os consumidores têm de um produto.

A empresa de automóveis chinesa JAC Motors tem um grande desafio pela frente: convencer o público brasileiro de que seus carros são duráveis e de qualidade, pois no Brasil é forte a percepção de que produtos chineses são de qualidade inferior. Como a empresa está lidando com isso? Além de ter contratado como garoto-propaganda um apresentador de TV com grande credibilidade, resolveram oferecer uma das garantias mais extensas de todas as empresas de automóveis, com o objetivo de vencer a percepção geral que existia de que produtos chineses não são de boa qualidade.

Apesar de ser uma tarefa sempre difícil, mudar a percepção que os consumidores têm de certo produto é totalmente possível. Um desafio ainda mais audacioso é fazer um produto que nasceu dirigido às classes populares ser adotado pela classe A.

No Brasil, temos um caso muito bem-sucedido: as sandálias Havaianas, que até os anos de 1980 eram um produto destinado às classes mais populares, vendido nas mercearias, ao lado de botijões de gás e panos de chão. Hoje, são um item *fashion* de qualquer guarda-roupa. Foi preciso uma década e muito investimento para tirá-las das pequenas mercearias e levá-las a butiques nos bairros nobres de todo o Brasil e de muitos outros países, mas o esforço foi compensador. As sandálias Havaianas se tornaram uma das seletas marcas brasileiras com verdadeira expressão global.

No caso de produtos ou marcas, uma das ferramentas utilizadas para entender sua posição na mente do consumidor em relação aos competidores e ao ponto ideal é o "mapa de posicionamento" ou "mapa de percepção".

Cria-se uma matriz com duas variáveis mais relevantes para o produto ou serviço em questão e se faz uma pesquisa para identificar a percepção dos consumidores em relação ao seu produto e aos seus concorrentes. Por exemplo, se foi identificado que os fatores mais relevantes para uma pessoa comprar um carro para a família são segurança e preço, essas duas variáveis seriam colocadas em uma matriz (ver a Figura 3).

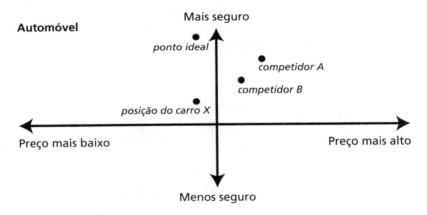

Figura 3. Mapa de posicionamento ou mapa de percepção

Na Figura 3, os consumidores querem um carro relativamente barato e muito seguro. O competidor A está mais próximo do ponto ideal no quesito segurança enquanto o competidor B está mais próximo no quesito preço. Para chegar mais próximo do ponto ideal, a empresa em questão teria de ressaltar, em sua comunicação, o aspecto de segurança do seu carro (lembre-se de que não estamos falando em alterar o produto, mas simplesmente posicioná-lo na mente do consumidor), pois o quesito preço já está mais próximo que o da concorrência. Observe ainda que o quesito segurança tem maior peso para o consumidor, por isso o produto em questão, mesmo tendo o preço mais próximo do preço ideal percebido pelo consumidor, ainda está mais longe do ponto ideal no geral.

Colocando-se no lugar de uma marca ou de um produto, você pode fazer esse exercício conceitualmente, definindo duas competências importantes para sua empresa (nas quais obviamente você tenha aptidão) e procurar entender seu posicionamento e qual seria o ponto ideal. Digamos que flexibilidade e criatividade sejam as duas competências escolhidas. Nesse caso, você poderia imaginar uma matriz em que essas duas competências seriam as variáveis e comparar onde você estaria inserido no mapa de posicionamento em relação aos seus colegas e principalmente ao que seria o ponto ideal (Figura 4).

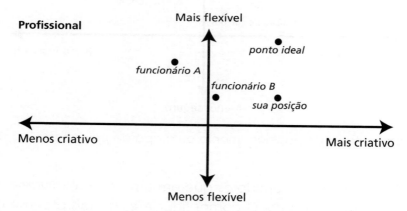

Figura 4. Mapa de posicionamento – ponto ideal/Profissional

Na Figura 4, você está atendendo às expectativas no quesito criatividade, mas precisaria aumentar sua flexibilidade para chegar mais próximo do ponto ideal.

Ocupe uma posição estratégica

Em geral, temos a mentalidade de que é preciso ser o número um no que quer que seja. Contudo, às vezes, o melhor posicionamento não é ser o número um, mas ser o número dois. Na verdade, o que você precisa ocupar é uma posição estratégica em relação ao seu objetivo — e isso nem sempre significa a ponta.

Tenha em mente que uma possível estratégia de posicionamento pode ser ocupar o espaço de um profissional de apoio indispensável, em vez daquele profissional que todos veem como o grande líder. Tentar se posicionar como o líder e não ter as competências claras para ocupar esse espaço na mente das pessoas pode ser um grande erro. Por isso, você pode fazer aproximações sucessivas e agir com sabedoria.

Tenho um amigo que é um excelente profissional, com grande habilidade para análises quantitativas. Ele é mestre ao destrinchar pesquisas e fornecer os dados mais relevantes dessas análises de maneira clara e confiável. Isso fez que ele se tornasse alguém indispensável nas organizações em que trabalhou, pois os executivos em posições de liderança sempre o valorizaram muito por essa habilidade. Qualquer profissional em uma posição de liderança sabe como é importante poder contar com a precisão de análises para tomar suas decisões.

Habilmente, esse meu amigo soube se posicionar usando essa característica e foi galgando cada vez mais posições de destaque nas organizações em que trabalhou.

Eventualmente, ele poderá fazer um reposicionamento de sua "marca pessoal", destacando sua habilidade de liderança (que também foi comprovada durante sua carreira) e então almejar a posição de número um. Essa, porém, é uma decisão que ele terá de avaliar com muito cuidado, pois, apesar de totalmente factível, muitas vezes é melhor ser um número dois indispensável do que um número um sem uma vantagem competitiva clara.

No final dos anos de 1980, ficou famosa a campanha publicitária criada por Washington Olivetto para o canal de televisão SBT, do grupo Silvio Santos. Eles tinham pela frente a liderança praticamente imbatível da Rede Globo, que concentrava a principal fatia das verbas publicitárias. Além disso, todos sabiam que a Rede Globo era líder.

A solução foi simplesmente genial: posicionar a marca como a melhor opção *depois* da Rede Globo. O *slogan* ficou famoso na época: "SBT. Liderança absoluta no segundo lugar".

Outro caso clássico que ilustra essa estratégia é o da empresa Avis, de aluguel de carros, que era vice-líder nos Estados Unidos e acumulou prejuízos por anos "brigando" pela liderança do mercado com a empresa Hertz. Então, a Avis resolveu assumir a vice-liderança e lançou uma campanha com o *slogan*: "Somos a número 2 em locação de veículos. Por que nos escolher? Nós nos empenhamos mais". A partir desse momento, a empresa passou a ocupar esse espaço na mente do consumidor e aumentou as vendas, revertendo o quadro de prejuízos acumulados.

Atitude é fundamental

Vimos, até agora, como definir seu posicionamento baseado nas suas competências profissionais. Contudo, a percepção que o mercado tem de você não é exclusivamente funcional. É também psicológica e emocional — ou seja, baseada nas suas atitudes e não apenas nas suas habilidades e capacidades.

MIRE OS GIGANTES

A essa percepção eu chamo de *posicionamento atitudinal*. Embora muitas vezes subjetiva e, portanto mais difícil de mensurar, é fundamental administrar essa percepção, pois ela pode destruir qualquer imagem positiva que tenha sido criada no espectro das competências.

Um profissional com quem trabalhei era excelente no quesito competência, mas deixava a desejar nas atitudes. Com excelente formação, André conseguiu um emprego em uma empresa multinacional logo após concluir os estudos.

Com inteligência e dedicação, foi galgando os degraus corporativos e em pouco tempo chegou a ser o diretor de marketing da empresa em que trabalhava. Agora era questão de tempo para assumir uma posição executiva de maior responsabilidade e liderança.

No entanto, o tempo foi passando e esse movimento não aconteceu. Sem dúvida, André era muito competente no que fazia, mas tinha grande dificuldade de lidar com sua equipe e outros colegas da empresa.

A verdade é que as pessoas não gostavam dele. Sempre que havia uma sessão de avaliação 360 graus, seus colegas o consideravam extremamente arrogante. Nunca admitia um erro e sempre achava que os outros não eram tão competentes quanto ele. Os membros de sua equipe eram constantemente desmotivados pela maneira como ele os tratava, sempre focando nas falhas, desmerecendo o trabalho deles e muito raramente dizendo algo positivo.

Em certa ocasião, o presidente da empresa o chamou, junto com alguns de seus pares de outras áreas, para discutirem um projeto de reestruturação de uma linha de negócios que não estava indo muito bem. Enquanto aguardava, André, com sua costumeira arrogância, desmerecia as ideias dos colegas. Até a moça do cafezinho era desprezada por ele. Na verdade, ele mostrava tanto desprezo por pessoas mais simples que sequer olhava para elas.

Sem ninguém saber, o presidente estava buscando um substituto para o cargo de vice-presidente executivo, pois o atual estava próximo da aposentadoria.

Esse projeto seria uma ótima oportunidade para conhecer melhor as habilidades de cada executivo e, principalmente, qual deles se destacava no quesito liderança. Roberto gostava muito do trabalho de André, que sempre trazia boas ideias e resultados, e por isso o considerava um forte candidato. Contudo, não conhecia suas habilidades como líder (muito menos sua arrogância).

Ao começar a reunião, o presidente pediu a opinião de cada um a respeito de quais estratégias deveriam ser implementadas para reverter o mau desempenho daquela linha de negócios.

André não esperou que alguém falasse e começou a expor suas ideias. Disse que era necessário um corte substancial de funcionários dessa unidade e outras medidas para redução de custos. Terminou sua explicação dizendo que não via outra maneira de resolver a situação a não ser implementando as estratégias que havia sugerido.

Um de seus colegas discordou de André, argumentando que demissões naquele momento poderiam afetar a moral da

MIRE OS GIGANTES

equipe, não só daquela unidade de negócios, mas de toda a empresa. Por isso, achava que se deveria investir em novas tecnologias para aquela linha de negócios voltar a ser competitiva. Visivelmente irritado, André disse que o colega não estava analisando a situação racionalmente e que aquilo era uma grande falha em um líder.

O colega educadamente respondeu que a verdadeira liderança ia muito além de enxergar números e que um grande líder deveria ter visão mais ampla que um analista. A discussão ficou mais intensa e, quando outros colegas discordaram da sugestão de André, ele explodiu e disse que eles estavam discordando porque não eram suficientemente inteligentes para entender a questão.

O presidente da empresa ainda não estava seguro sobre qual era a melhor ideia, mas de uma coisa ele estava certo: a maneira como André lidou com aquela discussão demonstrou claramente que ele não possuía as habilidades necessárias para uma posição de liderança.

Talvez a habilidade mais importante para um líder seja a capacidade de criar empatia com as pessoas. O carisma é algo muito comentado e valorizado no ambiente da política, mas tem igual importância no mundo corporativo. A arrogância de muitos profissionais extremamente inteligentes e competentes (como era o caso de André) muitas vezes se torna o principal obstáculo para sua evolução. Ninguém quer trabalhar com alguém arrogante, por mais competente que seja. Mais cedo ou mais tarde, essa característica vai pesar contra essa pessoa.

A verdadeira liderança não pode ser imposta, mas conquistada.

UM MÉTODO PARA DEFINIR SEU POSICIONAMENTO

1 Perceba seu posicionamento atual

A melhor maneira de fazer essa análise é perguntar às pessoas com quem você se relaciona profissionalmente: quais competências elas enxergam em você? Não peça para ser "avaliado", ou seja, não peça juízos de valor, mas apenas uma descrição de suas competências. O ponto aqui é: quais são as primeiras impressões profissionais que vêm à mente das pessoas que o conhecem? Por exemplo, você pode ser percebido como "eficiente e bom comunicador", "criativo, mas indisciplinado", "intolerante, mas justo", ou simplesmente "flexível" ou "analítico", e assim por diante.

Essa é a posição que você ocupa na mente dessas pessoas. Você pode até não concordar com a percepção delas, mas não se engane: como já discutimos, percepção é realidade.

É claro que pode existir aquele colega de trabalho do tipo "psicopata", que possui uma percepção totalmente distorcida do mundo e possivelmente de você. Por isso, não leve em consideração a opinião de apenas uma pessoa.

Agora, se para todos que você pergunta a resposta é parecida e sua percepção é completamente diferente, atenção: talvez *você* seja o colega psicopata! (Contudo, não se preocupe: se você chegou até este ponto do livro, seu caso ainda tem solução!)

2 Defina sua meta

Como vimos no capítulo sobre definição de objetivos, as metas precisam ser realistas. O mesmo princípio de realidade se aplica ao

MIRE OS GIGANTES

posicionamento, mas, nesse caso, trata-se de levar em conta mais os fatores externos do que somente sua capacidade. Ou seja, você pode ser muito bom em algo, mas se por algum motivo será muito complicado convencer as pessoas disso, avalie cuidadosamente se vale a pena despender tanta energia para ocupar esse posicionamento ou se não é melhor buscar um posicionamento alternativo.

No meu caso pessoal, como relatei, posicionar-me como um bom comunicador não era uma estratégia eficaz nos Estados Unidos, por causa da barreira da língua.

3 Defina sua estratégia e sua tática

Imagine que você definiu que o posicionamento que faz sentido para você é ser o profissional mais eficiente da empresa. Então, uma ação de curto prazo é se programar para entregar todas as suas tarefas um dia antes do prazo acordado.

No entanto, tome cuidado! Nesse caso, as tarefas têm de ser entregues com o mesmo nível de qualidade que teriam se fossem entregues no prazo normal, pois do contrário você pode criar um posicionamento que não vai ajudar muito: "Ele é rápido, mas sem qualidade".

Nesse exemplo, uma ação de médio prazo seria matricular-se em um curso de gestão de tempo e produtividade, para ressaltar seus atributos ao máximo.

4 Reforce seu posicionamento

Aqui o fundamental é a comunicação. Usando o exemplo anterior, se você vai enviar por e-mail um projeto que foi completado um dia antes do *deadline*, copie todos envolvidos naquele projeto e mencione que está entregando antes para que eles tenham mais tempo de se preparar para a reunião.

Seja objetivo na comunicação, para não parecer oportunista ou arrogante. Escreva algo do tipo: "Prezados, aqui está o projeto X, com prazo final para amanhã. Estou enviando hoje, pois assim todos terão mais tempo para se preparar para a apresentação.". Dessa maneira você comunicou que concluiu o projeto antes do tempo estipulado, mas não se vangloriou do fato.

Um exemplo a não seguir seria algo do tipo: "Prezados, em mais uma prova da minha eficiência, estou enviando o projeto X, concluído um dia antes do prazo". Parece piada, mas já vi muita coisa desse tipo.

Palavras finais

Quando você tem um motivo forte, seu querer se transforma em poder.

Quando penso nisso, imediatamente me vem à mente a história de Edward Wale, que conheci em julho de 2009, ao assistir a uma palestra sua no Chile, em uma linda cidade do sul chamada Osorno. Sua história é tão fascinante que causou um impacto profundo e permanente em minha vida.

Edward Wale nasceu em Valparaíso, no Chile. Filho de mãe chilena e pai norte-americano, cresceu em um lar harmonioso e muito amoroso. Aos 14 anos, seus pais queriam ir morar nos Estados Unidos para buscar novas oportunidades. Edward teve de tomar uma decisão difícil: ir com os pais ou ficar e se matricular na Escola Naval do Chile.

Decidiu ficar e seguiu sua jornada na Escola Naval, na qual conseguiu alcançar o posto de segundo tenente. Fez grandes amigos em suas longas viagens pelos mares em que navegava e chegava a passar até seis meses sem voltar à terra firme. Conheceu muitos lugares e, segundo ele, conheceu principalmente a si mesmo.

Depois de anos na Escola Naval, juntou-se aos pais nos Estados Unidos para estudar engenharia aeronáutica na Universidade de Northrop, em Los Angeles. Ele era apaixonado por aviação e até aprendeu a pilotar aviões.

Alguns anos depois de ter saído da faculdade, já se destacava na área de negócios, tornando-se um grande empresário. Atuava em diversos ramos como a aviação e o setor imobiliário. Construiu luxuosos condomínios e campos de golfe. Chegou a ser considerado um dos melhores construtores do oeste norte--americano.

Ficou milionário. Era bem-sucedido em tudo o que fazia, o que lhe permitia ter todas as coisas que o dinheiro pode comprar: mansões, iates e até o próprio avião.

Com o tempo, entretanto, Edward tornou-se um escravo do próprio sucesso, dando atenção apenas a isso e acreditando que qualquer ação era justificável para alcançá-lo.

Sua mulher e seu filho não cabiam em sua agenda e ele praticamente não visitava os pais. Seus amigos eram só os que lhe interessavam para os negócios. Desse modo, foi se afastando das pessoas que realmente gostavam dele.

Aos 40 anos, porém, aconteceu algo que mudaria sua vida para sempre. Ele voltava de uma viagem para a Califórnia, pilotando seu avião particular, quando houve uma explosão no tanque de combustível e um grande incêndio.

PALAVRAS FINAIS

Ele ficou preso no avião e teve queimaduras de terceiro grau em 90% do corpo. Ainda pior: teve as duas pernas e vários dedos amputados. No hospital, foi declarado clinicamente morto por três vezes. Acabou sendo reanimado, mas ficou em coma por seis meses.

Quando despertou do coma, não havia ninguém no hospital além de médicos e enfermeiras: nem sua mulher e o filho, nem seus amigos ou conhecidos. Aos poucos, foi descobrindo que não havia perdido só as duas pernas. Havia perdido tudo: suas mansões, seus iates, seu avião particular, suas empresas. Perdeu também sua esposa, que pediu o divórcio após um casamento de dez anos, e perdeu o amor do filho, que já não queria vê-lo.

Todas as propriedades e os negócios que ele possuía não existiam mais. Tudo pelo que ele havia trabalhado tanto havia desaparecido.

O comportamento da mulher e do filho não o surpreendeu. Afinal, eles já tinham sido perdidos muito antes do acidente. Lembrou-se que nunca se ocupou em alimentar essas relações, pois em sua agenda só cabiam dinheiro e poder.

Tanto dinheiro, tanto poder, e tudo o que restou foi uma cama de hospital, na qual mal conseguia movimentar o pescoço. Mesmo após seis meses em coma, a dor que sentia em decorrência das queimaduras que cicatrizavam era excruciante e por isso vivia à base de morfina.

A perspectiva de ficar para o resto da vida imóvel, tendo de ser cuidado por outras pessoas, era desoladora. Certa vez, quando realmente não viu mais esperança em sair daquela cama, pensou que tinha tido uma boa vida, realizado muita coisa e que poderia "ir embora" em paz. A morfina estava conectada à sua veia e ele mesmo regulava a quantidade, para poder controlar a dor. Então decidiu: "Vou aplicar uma *overdose* de morfina em mim mesmo e acabar com esse sofrimento".

Justamente naquele instante, por conjunções que não se explicam, avistou em sua cabeceira uma foto do filho Michael. A foto fora deixada por sua mãe, durante o coma. Seu filho estava sorrindo.

Esse foi o verdadeiro momento de seu renascimento. Sua mente mudou. Largou o dispositivo que liberava a morfina e disse a si mesmo:

— Não vou fazer isso. Vou ficar e lutar! Tenho de deixar um ensinamento para meu filho: aconteça o que acontecer na vida de uma pessoa, ela deve seguir em frente.

A partir desse momento, sua recuperação teve início.

Os médicos lhe diziam que se algum dia ele chegasse a se sentar, seria um milagre. Entretanto, ele tinha um propósito claro e isso não o desanimava. O objetivo que estava mais próximo dele era se sentar e, com muito esforço e dedicação, ele conseguiu alcançar o "milagre" de se sentar.

Quando tudo parecia impossível, ele se lembrava do filho e continuava. Ele tinha um forte motivo a impulsioná-lo.

Em dois meses, já estava conseguindo fazer 200 exercícios abdominais por dia e o que parecia um sonho já era realidade. Contudo, ele queria mais. Ele queria voltar a andar e a pilotar aviões! A falta das pernas não o impediria de perseguir seu objetivo.

PALAVRAS FINAIS

Quando saiu do hospital, os pais o acolheram. O resgate daquela relação foi mais um fator que o impulsionou para a recuperação. Aos poucos, foi se acercando do filho, buscando recuperar o tempo perdido, não por causa do coma, mas por todo o tempo em que ele esteve em perfeita saúde e não lhe dera atenção.

Com o tempo, conseguiu colocar próteses artificiais como pernas e voltou a andar. Também voltou a pilotar. Mais que isso: voltou a se envolver com a indústria de aviação como consultor e foi novamente se destacando na tarefa de transformar empresas aéreas praticamente falidas em negócios lucrativos.

Certa vez, um investidor com quem negociava um alto aporte para recuperar uma empresa aérea falida lhe disse:

> — Eu já investi três vezes nessa empresa e todos que tentaram reerguê-la falharam. Por que deveria dar dinheiro para você?

Edward respondeu:

Porque eu mesmo fui declarado morto três vezes e não desisti.

E saiu de lá com o cheque em mãos.

Edward foi mais uma vez reconstruindo seu império, criando empresas aéreas, de transporte e de construção. Dessa vez, no entanto, havia uma grande diferença: ele sabia onde colocar suas prioridades. Reconstruiu a relação com o filho e hoje são bem próximos. Também resgatou a relação com velhos amigos e jamais se esqueceu de seus pais que, mesmo depois de ele ter praticamente se esquecido deles, não o abandonaram e foram fundamentais em sua recuperação.

Hoje, aos 56 anos, Edward Wale vive em Osorno e, além de ter criado companhias que empregam centenas de pessoas, criou diversas fundações que ajudam os mais necessitados. Além disso, faz palestras motivacionais nas quais conta sua história. Naquela ocasião em que estive no Chile e ouvi sua palestra, tive a oportunidade de jantar com ele e conhecê-lo um pouco mais a fundo. E percebi um homem que viu seu palácio desmoronar e que soube reconstruí-lo com materiais verdadeiramente sólidos, que não podem ser vendidos, destruídos ou apagados com o tempo.

Sem dúvida, ele é uma das pessoas mais fascinantes com quem tive contato.

Conto sua história ao final deste livro, pois ela mostra, sim, que um objetivo forte faz você conseguir tudo o que quer, e que a postura do *Olho de Tigre* leva você diretamente a ele.

Entretanto, não é só. Após mostrar nestas páginas como construir o sucesso profissional e nos negócios, como ser o caçador e não a caça no mundo corporativo, como planejar sua trajetória e escapar das armadilhas para atingir suas metas, a história de Edward Wale me lembra que o sucesso a qualquer preço cobra um valor muito alto e por isso não tem sentido nenhum.

É preciso ter um motivo que vá além do sucesso, que transcenda seu objetivo, é preciso haver algo maior.

Esse algo maior não pode ser medido em números, pois está na sua alma e, principalmente, no seu coração. E é isso que realmente deve fazer parte de nossas prioridades.

PALAVRAS FINAIS

Nada é mais importante que as pessoas queridas e amadas. Família, filhos e amigos são nosso maior tesouro nesta vida e, por isso, precisam ser cultivados com cuidado e atenção.

O amor é a têmpera que humaniza os fortes. E, sem dúvida, esse é mais um dos segredos de quem conseguiu desenvolver o *Olho de Tigre* e se tornou forte, humano, íntegro e vencedor.

Referências bibliográficas

LIVROS

CARNEGIE, Dale. *Como fazer amigos e influenciar pessoas*. 52 ed. São Paulo: Cia. Editora Nacional, 2012.

CLASON, George S. *O homem mais rico da Babilônia*. 18 ed. Rio de Janeiro: Ediouro, 2006.

COVEY, Stephen R. *Os 7 hábitos das pessoas altamente eficazes*. São Paulo: Best Seller, 2009.

DANIELS, Aubrey. *Oops! 13 management practices that waste time and money*. Atlanta: Performance Management Publications, 2009.

DIAMOND, Jared. *Armas, germes e aço*. Rio de Janeiro: Record, 2001.

FINKLESTEIN, Sydney. *Por que executivos inteligentes falham*. São Paulo: M.Books, 2007.

GLADWELL, Malcolm. *Fora de série. Outliers*. Rio de Janeiro: Sextante, 2008.

_____. *O ponto da virada*. Rio de Janeiro: Sextante, 2009.

GROSS, Daniel. *Forbes: as maiores histórias do mundo dos negócios*. São Paulo: Companhia das Letras, 1999.

HAMMOND, John S.; KEENEY, Ralph L.; RAIFFA, Howard. *Somos movidos a decisões – decisões inteligentes: como avaliar alternativas e tomar a melhor decisão.* Rio de Janeiro: Campus, 1999.

HILL, Napoleon. *Quem pensa enriquece.* São Paulo: Fundamento, 2009.

HONORE, Carl. *Devagar: como um movimento mundial está desafiando o culto da velocidade.* Rio de Janeiro: Record, 2006.

LOWE, Janet. *Bill Gates x Bill Gates: o pensamento do maior empreendedor do mundo.* São Paulo: Globo, 1999.

MISNER, Ivan; DONOVAN, Michelle R. *The 29% solution: 52 weekly networking success strategies.* Austin: Greenleaf Book Group Press, 2008.

RAMACHANDRAN, V. S. *Fantasmas no cérebro.* Rio de Janeiro: Record, 2004.

RIES, Al; TROUT, JACK. *Posicionamento: a batalha por sua mente.* São Paulo: Makron Books, 2002.

SCHWARTZ, Barry. *O paradoxo da escolha: por que mais é menos.* São Paulo: A Girafa, 2007.

SINEK, Simon. *Start with why.* Portfolio Trade, 2004.

TRACY, Brian. *Descasque seu abacaxi.* Rio de Janeiro: Record, 2003.

_____. *Psychology of achievement.* Nova York: Simon & Schuster, 2002.

WELCH, Jack. *Straight from the gut.* Business Plus, 2003.

ZAGLAR, Zig. *Eu chego lá! Um guia otimista para vencer na vida.* Rio de Janeiro: Record, 1990.

ARTIGOS

LEVITT, Theodore. Marketing myopia. *Harvard Business Review Journal,* 1960.

ALLEN, David; SCHWARTZ, Tony. Being more productive. *Harvard Business Review,* Mai. 2011.

REFERÊNCIAS BIBLIOGRÁFICAS

STEVENS, Greg; BURLEY, James; DIVINE, Richard. Creativity + Business Discipline = Higher Profits Faster from New Product Development. *The Journal of Product Innovation Management,* Vol. 16. Set. 1999.

STEVENS, Greg. A.; BURLEY, James. Piloting the rocket of radical innovation. *Research-Technology Management,* Vol. 46, N. 2, Mar. 2003.

Are you working too hard? A conversation with Herbert Benson. *Harvard Business Review,* Nov. 2005.

WREDEN, Nick. How to make your case in 30 seconds or less. *Harvard Communication Management Letter,* Jan. 2002.

FILMES

Rocky I – Um lutador. Estados Unidos, 1976.

Rocky II – A revanche. Estados Unidos, 1979.

Rocky III – O desafio supremo. Estados Unidos, 1982.

Rocky IV. Estados Unidos, 1984.

À procura da felicidade. Estados Unidos, 2006.

Batman begins. Estados Unidos, 2005.

Este livro foi impresso pela Gráfica Bartira em
papel *offset* 75 g em agosto de 2019.